W9-BSB-822

스위스Switzerland

스위스

이원복

1946년 충남 대전 출생. 서울대학교 공과대학 건축학과를 졸업하였다. 1975년 독일 뮌스터 대학의 디자인학부에 유학, 졸업시 디플롬 디자이너(Dipl. Designer) 학위 취득과 함께 총장상을 수상하였으며, 같은 대학 철학부에서 서양미술사를 전공하였다. 당시 10년간에 걸친 독일과 유럽 체험은 『21세기 먼나라 이웃나라』를 쓰는 데 중요한 밑바탕이 되었다. 독일 뮌스터 시와 코스펠트 시 초청으로 개인전을 열었고, 현재는 덕성여대 산업미술학과 교수로 재직하고 있다. 『나란나란 세계사 도란도란 한국사』 『부자국민 일등경제』 『만화로 떠나는 21세기 미래여행』 『신의 나라 인간 나라』 등 다수의 만화를 창작, 세계 역사와 문화, 경제와 철학을 재미있는 만화로 소개하는 일에 몰두해 왔다. 1993년에는 우리나라 만화문화 정착에 기여한 공로로 제9회 눈솔상을 수상했다. 한국 만화·애니메이션 학회 회장(1998~2000)이며, 미국 캘리포니아 얼바인 대학 객원 교수로도 재직했다.

홈페이지 : www.won-bok.com　이메일 : jambo@nuri.net

펜터치 · 컬러링 그림떼(Grimmté Illustrator group)

덕성여자대학교 디자인학부에서 시각디자인을 전공한 일러스트레이터 그룹이다.
이원복 교수의 제자들로 구성되었으며, 일러스트와 카툰 일러스트를 주로 그리고,
그래픽 디자인 비즈니스의 새로운 장을 열어가고 있다.

대표 김승민(덕성여대 강사), 일러스트레이터 이지은, 천현정, 이아영, 김미화, 김준미, 강인숙
이메일 : grimm4u@hanmail.net

21세기 먼나라 이웃나라 제5권 스위스
이원복 글 · 그림

1판 1쇄 인쇄 2000. 1. 5. | 1판 118쇄 발행 2003. 12. 17. | 발행처 김영사 | 발행인 박은주 | 등록번호 제1-25호 | 등록일자 1979. 5. 17. | 서울특별시 종로구 가회동 17 우편번호 110-260 | 마케팅부 02)745-4823(구내101), 편집부(구내235), 팩시밀리 02)745-4826 | 값은 표지에 있습니다. | ISBN 89-349-1388-6 77920 89-349-1393-2(세트) | 좋은 독자가 좋은 책을 만듭니다. | 김영사는 독자 여러분의 의견에 항상 귀 기울이고 있습니다. | 독자의견 전화 02)741-1990 | 홈페이지 www.gimmyoung. com, 이메일 gys@gimmyoung.com

21세기
먼나라 이웃나라
이원복 글·그림
Switzerland
스위스
김영사

『21세기 먼나라 이웃나라』에 붙여

『먼나라 이웃나라』가 책으로 묶여 처음 독자들에게 선을 보인 것이 1987년, 『새 먼나라 이웃나라』로 대폭 수정, 보완되어 출간된 것이 1988년이었다. 그 동안 세상은 참으로 많이 변하였고, 무엇보다 세기가 바뀌었다. 우리는 이제 20세기를 마감하고 21세기로 접어든 것이다. 『먼나라 이웃나라』는 매 5년 단위로 내용을 크게 바꾸거나 고치는 작업으로 시대에 뒤떨어지지 아니하고 살아숨쉬는 내용을 독자들에게 제공하고자 노력하고 있다. 세상의 변화가 하루가 다르게 빨라져 가기 때문에 더 자주 이 작업을 해야 할 것으로 예상된다.

『21세기 먼나라 이웃나라』는 두 가지 면에서 크게 바뀌었다.
첫째로 지금까지 2도 인쇄에서 올컬러로 바뀌었고, 역사적 자료들이 훨씬 생생한 도판으로 보충되었다는 점이다. 영상 컬러 시대에 익숙해진 새로운 세대들에게 지금까지의 2도 인쇄보다 화려하지만 은은한 올컬러는 훨씬 생동감 있고 흥미롭게 느껴질 것이며, 읽고 보는 즐거움을 크게 더하리라고 믿는다. 또한 내용과 관련된 도판들이 생생한 자료로 제공되기 때문에 역사와 문화의 현장, 그리고 인류의 역사를 움직인 인물들의 실제 모습을 더욱 실감있게 체험할 수 있는 기회가 되리라고 자신한다.

거의 3,000쪽에 가까운 방대한 컴퓨터 컬러링 작업에는 나의 사랑하는 제자들로 구성된 일러스트레이터 그룹 "그림떼"가 헌신적으로 참여하였다. 그들에게 진심으로 감사의 마음과 사랑을 전한다. 또 김영사의 사장님과 전직원의 뜨거운 후원과 협력이 없었더라면 『21세기 먼나라 이웃나라』는 탄생할 수 없었을 것이다. 이분들 모두에게 고개 숙여 감사드린다.

아마도 만화로서 출간된 지 16년이 넘는 작품이 이처럼 꾸준한 사랑을 받아온 경우는 그리 흔하지 않으리라고 생각한다. 그런 만큼 긍지와 더불어 무거운 책임을 절감하며, 더욱 알차고 좋은 내용으로 독자들의 성원에 보답할 것을 약속한다.

2003년 12월 이원복

『새 먼나라 이웃나라』 머리말

탄생 때부터 어린이들과 젊은 부모들의 사랑을 듬뿍 받아온 『먼나라 이웃나라』도 이제 열한 살이 되었습니다. 이 책이 말썽꾸러기 초등학교 4학년의 나이가 되는 사이, 세계는 더욱 좁고 더욱 가까워진 것 같습니다. 긴 시간이 흐른 만큼, 그리고 세계가 빠르게 변해온 만큼, 우리 어린 친구들에게도 새롭게 달라진 유럽 이야기를 해주고 싶었습니다. 멀고 먼 대륙의 이야기라고 말해 버리기에는 너무나 중요한 세계의 변화를 한시라도 빨리 알려주어야 한다고 생각했지만, 자료를 찾고 구성을 하고 일일이 손으로 그림을 그려야 하는 더딘 작업 때문에 새로운 모습을 선보이는 일이 늦어져서 매우 안타까웠습니다.

유럽공동체(EC)가 유럽연합(EU)으로 확대되고, 유럽 단일 화폐(Euro)가 등장하는 등 유럽은 지금 뉴스의 초점이 되고 있습니다. 미국을 비롯한 강대국들과 세계의 여러 나라들이 그 움직임을 예의 주시하고 있습니다. 흥분과 놀라움으로 맞이하였던 90년대 초 동·서 도이칠란트의 통일과 소련·동유럽 공산국가들의 몰락을 잊기도 전에 또다시 커다란 변화를 목격하고 있는 것입니다. 『먼나라 이웃나라』의 작가로서, 90년대 초의 변화를 그려내기도 전에 새로운 변화를 맞이한다는 사실이 마음을 매우 조급하게 만들었습니다. 세상은 정말 빠르게 변해간다는 것을 새삼 깨닫게 되는 시기입니다. 『먼나라 이웃나라』를 새롭게 단장하면서, 나는 유럽의 근현대사를 오늘의 시각으로 조명하는 데 역점을 두었습니다. 유럽의 각 나라가 안고 있는 현재의 고민거리들을 알기 쉽게 풀이하려고 하였고, 그것을 통하여 세계인이 안고 있는 문제들을 다시 한 번 짚어보려고 하였습니다. 여러분들은 이번에 나온 『새 먼나라 이웃나라』에서 통일을 향한 도이칠란트 국민들의 끈질긴 노력과 통일 이후의 문제들, 사분오열된 나라를 근대 통일국가로 만들기 위한 이탈리아 사람들의 노력과 가리발디 이야기, 직접 민주주의의 나라 스위스의 모습, 영국·프랑스의 눈부신 변화 등을 새로 배우게 될 것입니다. 또한 예전에 있었던 내용 가운데서도 시대에 뒤떨어진 낡은 내용은 새롭게 고친 이야기로 다시 듣게 될 것입니다. 특히 흑과 백의 단조로운 구성을 깨고 각 권마다 고운 색깔을 넣어서 만화를 보는 재미를 한층 높인 것은 이번 『새 먼나라 이웃나라』의 큰 변화입니다.

앞으로도 이 책이 세계사의 윤곽을 재미있게 그려주는 충실한 길잡이가 되도록 새로운 흐름들을 계속 반영해 나갈 것을 약속합니다. 그리하여 유럽의 역사와 문화뿐만 아니라 미국, 일본 등 미처 다루지 못한 나라들의 이야기까지 모두 다룰 수 있도록 노력할 생각입니다. 끝으로 책을 새로 단장하느라 고생한 김영사 여러분들께 감사드리며, 이 책을 읽는 어린이들과 부모님들 모두 즐거운 유럽 여행을 하기 바랍니다!

1998년 여름

이원복

초판 머리말

한 사회는 그 속에 몸담고 사는 사람에게는 바로 행동의 기준이자 생각의 틀이기 때문에 그것을 바깥의 눈으로 바라보기란 쉽지 않습니다. 더구나 우리 나라와 같이 사방이 가로막힌 섬 아닌 섬에서는 더욱 그렇습니다. 그래서 우리 국민에게 외국이란 것은 머리 속의 단어로만 다가올 뿐 피부로 느껴지지 않는 대상이었습니다. 이 때문에 우리는 지금까지 격변하는 국제 사회와 지구촌 시대의 흐름에 둔감했던 것도 사실입니다.

그런데 이러한 처지는 자칫하면 외국에 대한 헛된 우월감 또는 열등감으로 나타날 수 있으며, 국제 사회와 더불어 살아 가려는 노력보다는 국수주의적인 폐쇄성만을 조장할 우려도 있습니다. 이러한 우려를 없애고 시대 흐름에 걸맞는 올바른 국제 감각을 키우려면, 우선 우리 자신과 외국 사회를 객관적으로 비교 검토하는 태도가 무엇보다 중요할 것입니다. 하지만 피상적인 해외 문물의 소개는 외국에 대한 막연한 동경과 찬탄만을 불러일으킬 뿐, 정말로 우리가 필요로 하는 외국의 근본적 이해는 돕지 못합니다.

나는 이미 도이칠란트에서 10여년 간의 유학 생활을 하면서 심각한 문화적 충격과 기존 가치관과의 갈등을 몸소 체험한 바 있습니다. 이렇게 오랜 세월에 걸쳐 느낀 소감들이 이 책을 쓰게 한 동기가 되었던 것입니다. 10년이라는 기간은 서구 사회의 융성과 번영에 대한 원인을 모색하는 시기이기도 했습니다.

내가 추구하는 가장 중요한 목표는 자라나는 어린 새대와 청소년들에게 이 지구에는 머리 속의 단어로만이 아니라 실제로 다른 나라가 존재한다는 사실을 일깨워 주는 것입니다. 이웃 나라 사람들이 살아가는 모습을 뿌리부터 추적하여 밝힘으로써 스스로 우리와 비교해 볼 수 있는 기회를 제공하고자 하는 것입니다. 따라서 이 책에서 주는 것은 눈으로 보는 화려한 기행문이 아니라 마음으로 보는 그들의 숨김없는 얼굴입니다.

나는 이야기를 할 뿐 비평을 하지는 않습니다. 읽는 사람이 스스로 느끼고 판단할 수 있도록 생생하고 폭넓은 자료만을 제공할 뿐입니다. 이 책을 읽는 젊은 세대가 세계는 진정 넓고, 그 곳에는 우리와 같은 사람이 살고 있다는 것을 느끼기 바랍니다. 우리가 숨쉬며 살아야 할 무대는 이 나라뿐만 아니라 이 세계 전부라는 데 눈을 뜬다면 내가 기울인 노력에 비하여 보람은 넘치고도 남을 것입니다.

1987년 8월

이원복

스위스

Switzerland

SUISSE	URI	SCHWYZ	UNTERWALDEN	LUZERN	ZÜRICH
스위스 국기	1291	1291	1291	1332	1351
	우리	슈비츠	운터발덴	루체른	취리히
	UR	SZ	OW/NW	LU	ZH
GLARUS	ZUG	BERN	SOLOTHURN	FRIBOURG	BASEL
1352	1352	1353	1481	1481	1501
글라루스	추크	베른	졸로투른	프리부르	바젤
GL	ZG	BE	SO	FR	BS/BL
SCHAFFHAUSEN	APPENZELL	AARGAU	THURGAU	TICINO	ST. GALLEN
1501	1513	1803	1803	1803	1803
샤프하우젠	아펜첼	아르가우	투르가우	티치노	상 갈렌
SH	AR/AI	AG	TG	TI	SG
GRAUBÜNDEN	VAUD LIBERTE ET PATRIE	VALAIS	NEUCHÂTEL	GENEVE	JURA
1803	1803	1815	1815	1815	1979
그라우뷘덴	보	발레	노이샤텔	주네브	쥐라
GR	VD	VS	NE	GE	JU

옛날 옛적에
온통 산투성이인 나라가 있었는데
밭을 일구고 채소와 곡식을 심을 땅이 없어서
사람들이 쫄쫄 굶을 정도로 가난했었대.
밥이나 빵줘!
그래서 굶주림에 견디다 못해
꼬르르륵
우리 이렇게 굶어 죽을 게 아니라
온갖 정성을 다해 하느님께 빌어보세.
하느님, 저희를 불쌍히 여기사….
기도가 얼마나 애절했던지
흑 흑 흑
..애는 배고프다고 울지요, 마누라는 몸져 누
드디어는 하느님의 귀에까지 들렸겠다.
어찌하여 이 기구한 팔자는
이를 딱하게 여기신 하느님은
훌쩍!
그 거룩한 모습을 드러내셨지.
펑

가난한 백성들 앞에 모습을 나타내신 하느님은
I ♥ GOD
내 너희를 가엾이 여겨
소와 양을 한 쌍씩 내릴 터이니…
소와 양이 뭐지?
먹는 건가?
?
?
?

잘 키워 젖과 고기를 먹어라!
펑
펑
펑
그들은 온갖 정성을 다하여 소와 양을 키웠고,
우리가 살길은 이것뿐이다!
소님, 식사가 준비되었사오니 드시오소서!

곧 온 나라에 소와 양이 가득하게 되었지.
메
음머~
그들은 그 고기를 배불리 먹을 수 있게 되었고
꺼억
우유와 버터, 치즈 등 영양가 높은 음식을 만들어 먹게 되자

그들이 만든 음식을 한 상 잘 차리고 하느님을 모셨대.
이 모두가 하느님 덕택이오니
저희가 고마운 마음으로 차린 이 음식을 한번 맛봐 주시옵소서!
♪
이런 자리에 하느님이 빠지실 분인가?
펑
번개보다 0.002초 빠름

모습을 드러내신 하느님은
어~ 기특들 하도다!
KISS
차려진 고기, 치즈, 버터 등을 맛있게 잡수시고
난 인사 제대로 차리는 인간이 제일 좋더라!
얌냠
쩝쩝
후루룩 (우유)
질겅 질겅
어~ 잘 먹었다! 앞으로도 잘들 해봐!
꺼억
KISS

난 하늘나라에 밀린 사무가 많아서 이만 실례….
안녕, 바이바이, 아듀!
KISS
부릉 부릉
하느님, 잠깐만!
뭐야? 한 보따리 싸주려고?
KISS

아무리 하느님이지만…
음식을 드셨으면 돈을 내고 가셔야죠!
!
돈 없으면 신분증이라도 맡기세요. 세상에 공짜가 어디 있담.
꽥

이 이야기는 우스갯소리지만 절대 공짜가 없는 나라….
열심히 노력하여 좋은 결과를 내지만 그것에 대해 꼭 보답을 받아내고야 마는 사람들이 사는 나라 스위스를 빗댄 거지.
'스위스'로 떠나보자!

우리 이런 상상을 한번 해보자.
서울의 인구가 1천만 명 정도라고 하는데,
인구가 서울의 절반 조금 넘는 나라가 있다면
우리 눈으로는 정말 코딱지만한 나라인데
애걔~ 고까짓 것도 나라냐?
이 나라에서 쓰이는 말이 자그마치 4가지이고
이 4가지 말이 모두 당당한 이 나라 '국어'라면
정말 희한한 일이겠지?
그거 불편해서 어떻게 살지?
더구나 이 작은 나라에서
Monsieur, je me vous aime pas!
?
다른 국어를 쓰는 국민들 사이에 서로 말을 몰라 통하지 않는다면 믿어지지 않겠지?
MAMMA MIA! NO AMORE ENCORE PADRE MADRE!
???
그러나 이것은 버젓한 사실이고
말이 달라도
그런데도 불구하고 세계에서 가장 잘산다고 다른 나라들이 부러워하는 이 나라가
괜찮니? 정말 부럽다!
다름 아닌 '스위스'인 거야!
부럽게 해드려서 죄송해요오오오오오오오오오....
메아리

스위스, 스위스… 참 많이도 들어 본 이름인데
스위스 은행
스위스 시계
스위스 초콜릿
스위스의 호수…
'스위스'란 4가지나 되는 그들 나라 이름 중 스위스 말이 아니라
프랑스식 이름이야.
오, 스위스(Suisse)! 스위철랜드(Swizerland)!
그럼 스위스 사람들은 자기 나라를 뭐라고 부를까?
뭐, 스위스? 그게 어느 나라야?
이 나라에서 쓰이는 말 4가지는
도이치어, 프랑스어, 이탈리아어,
도이칠란트
프랑스
도이치어
프랑스어
이탈리아어
오스트리아
이탈리아

그리고 스위스 지방의 독특한 사투리인 '레토로망스'어가 그것이지.
이 말은 말입니더, 아주 어렵당께래유~.
이 4가지 말을 쓰는 지방마다 각기 자기 나라를 부르는 이름이 다른데
도이치어 쓰는 지방에선 '**슈바이츠**(Schweiz)'.
Schweiz

프랑스어 쓰는 데선 '**쉬스**(Suisse)'.
Suisse
이탈리아어 쓰는 사람들은 '**스비체라**(Svizzera)'.
Svizzera
그리고 독특한 사투리 쓰는 곳에서는 '**스비즈라**(Svizra)'라고 부르고 있어.
SVIZRA

나라 이름이 이 네 가지뿐이냐?
슈바이츠.
쉬스.
스비체라.
스비즈라.
또 있지? 그것은 무엇이냐 하면…
국어가 여러 개이고 보니 국제적으로 나라 이름을 내세우려면 말썽이 생긴단 말씀이야.
4가지 말 가운데 한 가지로 정하면
우리는 슈바이츠 대표….
나머지 3가지 말 쓰는 사람들이 아우성이니
아니다, 쉬스다!
스비체라!
스비체라!
스비즈라!
모두가 불평하지 않도록
그럼 좋다!
모두 군말 없도록 4가지 말의 할아버지 격인 옛 로마 제국 시대의 말, 라틴어로 한다!
헬베티아! (Helvetia)
Gut! (좋아.)
Bien! (좋아.)
Bueno! (좋아.)
Buen! (좋아.)
끄덕
끄덕
끄덕
끄덕

이러니 스위스에 대해 아는 바 없는 사람은
당신들 어느 나라 사람이오?
슈바이츠, 쉬스, 스비체라, 스비즈라, 헬베티아….
아휴~ 골치야….

그것뿐이냐?
나라 이름을 국제적으로 줄여 쓸 때면
USA 미국
F 프랑스
E 에스파냐
대개 첫 글자를 따게 마련이야.
F 프랑스=France
B 벨기에 =België
스위스는 서로 다른 4가지 말을 쓰지만 어느 말이든 모두 S로 시작되는데
Schweiz
Suisse
Svizzera
Svizra
S는 스웨덴을 나타내는 것이고
S
스웨덴
스위스는 엉뚱하게도 CH로 쓴단 말이야.
CH
이 나라, 도대체 사람 놀리나? 이게 뭐야!
그러나 거기엔 또 이유가 있다고요.
스위스의 정식 이름은 '스위스 연방'으로
스위스연방
이것을 라틴어로 고치면 '콘페더라치오 헬베티카'.
Confederatio
Helvetica
여기서 앞의 두 글자를 따면 바로 CH가 되거든요.
CH
우히히… 우리는 라틴어 아니면 상대 안 한다. 존경스럽지?
피이… 4가지 말 가운데 어느 걸로 할지 모르겠으니까 그렇지….
CH

여러분은 스위스에 대해
얼마나 알고 있지?
알프스
그래, 그래… 일 년 열두 달 흰 눈에 덮인
알프스 산맥이 있지. 그리고?

올리리아오오오오
옳지, 요들이 있군. 또?
올라리
영구
중립국

맞아, 스위스는 영구 중립국이야.
더 있어?
세계에서 가장
살기 좋은
지상의 낙원!
지상의 낙원… 글쎄….

많은 사람들이 그렇게 얘기하는데
스위스가
살기 좋다
더라!
세계의
공원!
국민 소득
세계 제1의
부자 나라!
정말 스위스는 지상의 낙원이고
스위스엔 정말 천사 같은 사람들만
살고 있을까?
우리 한번 스위스를 자세히 연구해
보기로 하자.
스위스

스위스든 스비체라든
슈바이츠
스비체라
'스위스'란 이름은 하나의 뿌리에서 나온 것인데
쉬스
스비즈라
그 뿌리는 무엇일까?
스위스
?

이미 얘기했듯 스위스는 연방 국가로
미국, 도이칠란트, 오스트리아 등도 연방 국가죠.
26개 주가 모여 한 나라를 이루며
각 주마다 서로 다른 특징과 자치권을 갖고 있지.
제네바
베른

원래는 모두 따로따로 헤어져 살던 지방이었으나,
외적의 침입이나
살려줘!
이웃을 돕고, 도움 받을 일이 잦아지자
기다려, 내가 간다!

단결해야겠다는 생각이 간절해졌지.
혼자선 외롭고 무서워서 못살겠다!
그래서 여러 지방을 뭉치자는 움직임이 생겼고,
뭉치자!
드디어 각 지방 대표가 한자리에 모였어.
단합 대회장

여러 지방이 한데 뭉치는 것을 가장 먼저 부르짖은 것이
'슈비츠(Schwyz)' 지방으로
슈비츠
아~ 인생은 나그네길 어디서 왔다가 어디로 가는가!
뭉치면 살고 흩어지면 죽는다!
아쭈.
멋져!
그럴듯해….
와 -
우리 이렇게 코딱지같이 조그만 주로 갈라져 살 게 아니라
하나로 뭉쳐 나라를 만듭시다!
헤… 그래서 자기가 왕 노릇 하려고….
엉큼하다!
시끄러! 누가 왕 노릇 한대?
하나의 나라로 만들되 각 주의 주권을 인정하여
서로 간섭하는 일이 없도록 합시다!
그렇담 좋소!
간섭없는 나라 좋은나라
와

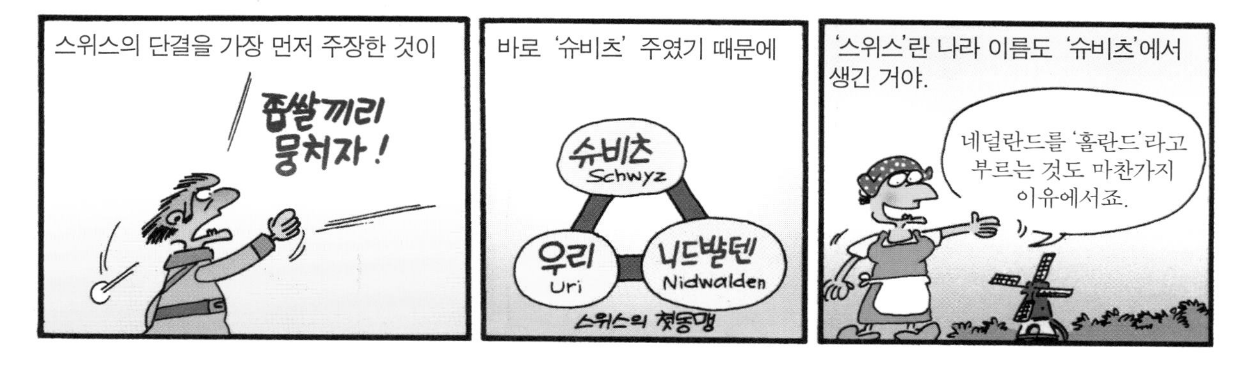
스위스의 단결을 가장 먼저 주장한 것이
좁쌀끼리 뭉치자!
바로 '슈비츠' 주였기 때문에
슈비츠 Schwyz
우리 Uri
니드발덴 Nidwalden
스위스의 첫동맹
'스위스'란 나라 이름도 '슈비츠'에서 생긴 거야.
네덜란드를 '홀란드'라고 부르는 것도 마찬가지 이유에서죠.

스위스의 여러 주가 슈비츠를 중심으로
하나로 뭉쳐가기 시작하자
이웃의 나라들은
어머~ 귀여운 것!

그래도 꼴에 제법 나라 틀을 갖춰가네요!
쟤들을 뭐라고 부를까?
'슈비츠' 주가 왕초 노릇을 하니
'슈바이츠'라 부르자.
우리 식으론 '쉬스'야.
'쉬스'라니 오줌 누냐? 스비체라가 좋다!

슈비치 주의 깃발이 바로 요런데
이것을 따서
오늘날의 스위스 국기가 태어나게 되었지.

자, 그럼 이 나라엔 어떤 사람들이 살고 어떤 자연을 갖고 있을까?
이 나라의 넓이는 정확하게 41,284km²이니까
지리
우리 대한민국의 반도 안 되는 작은 나라야.
스위스
그러나 바다가 없는 내륙 지방이라
스위스
자그마치 다섯 나라와 국경을 맞대고 있는데
DOUANE
ZOLL
국경
국경의 길이가 거의 1,900km에 이르고 있어.
이 조그만 나라에 국경 검문소가 자그마치 80개나 되니 우리로선 잘 상상이 안 되지?
스위스와 국경을 맞댄 이웃 나라는 우선 북의 도이칠란트.
BUNDES-REPUBLIK DEUTSCHLAND
쥐라 산맥을 경계로 서쪽에 프랑스.
REPUBLIQUE FRANÇAISE
알프스 산맥을 자연 경계로 남쪽엔 이탈리아.
REPUBLICA ITALIANA
그리고 동쪽엔 오랫동안 원수처럼 스위스를 괴롭혀온 오스트리아.
BUN DES-REPUBLIK ÖSTERREICH
그리고 그 사이에 미니 독립국인 '리히텐슈타인' 공국이 있지.
도이칠란트
스위스
오스트리아
이탈리아
요것도 나라냐?
웃기지 마! 작은 고추가 맵다!

스위스가 다섯 나라와 이웃하고 있지만
도이칠란트
프랑스
스위스
오스트리아
리히텐슈타인
이탈리아
스위스의 땅을 살펴보면
곧 알 수 있듯이
아항~!
끄덕
끄덕

서쪽과 남쪽은 산맥인 데 비해 북쪽은 평야로군요!
따라서 교통이 편리하고 산으로 가로막히지 않은 북쪽 평야 지방은
바로 도이칠란트와 국경을 맞대고 있으므로
도이칠란트

스위스 전체에 도이칠란트의 영향이 가장 클 수밖에 없지.
도이치 문화의 영향
스위스
전 국민의 75%가량이 도이치어를 쓰고
구텐 탁! (안녕)
약 18%가량이 프랑스 말을,
봉주르, 마담!
6%가량이 이탈리아어를,
스파게티, 피자, 마카로니, 마시조타노!
그리고 1%가량이 스위스의 사투리인 레토로망스어를 쓰고 있어서
사실상 도이치어가 스위스를 지배하고 있다고 해도 지나친 건 아니야.
이탈리아어
도이치어
프랑스어
레토로만어

스위스란 나라는 여러 말이 쓰이는 만큼 말 때문에도 재미있는 나라여서
슈바이츠, 굿!
쉬스, 비앙!
스비체라, 베네!
스비즈라, 벤!
우선 가장 많이 쓰이는 도이치 말부터도 그래.
가령 도이칠란트 사람과 스위스 사람이 만났다고 하자.
안녕?
안냥?
'안냥'이 뭐지?
안냥이 안냥이지배 뭐시꼬, 앵?
우해…!
?
우해해해해
우짜 우끼보텀 하냥가?
이런 식으로 도이치어는 분명히 도이치어인데
쟝말 이상한 샤람이당께로!
스위스 지방에서 독특하게 발달한 말이야.
나무 말 가지꼬 운눈 샤람, 쟝말 모때모거때이!
스위스 지방 사투리는 도이치 사람들이 거의 알아듣지 못할 정도로 지독한 것이어서
니랑 가치라노 안 놀끼라이!
이를 '슈비처뒤치' (Schwyzerdütsch)라고 하여
스위스식 도이치어란 뜻임.
우리나라로 치면 제주도 사투리보다도 심하다고 할까?
??
하루방, 하루방!

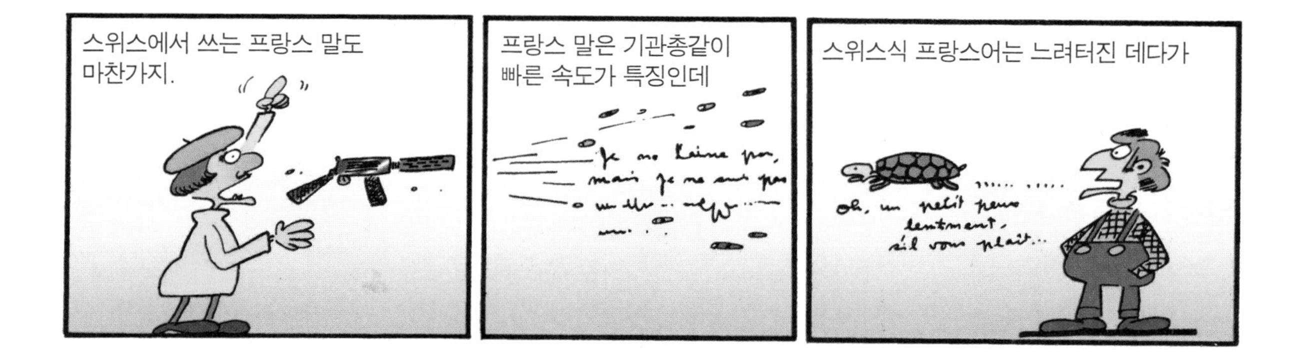
스위스에서 쓰는 프랑스 말도
마찬가지.
프랑스 말은 기관총같이
빠른 속도가 특징인데
스위스식 프랑스어는 느려터진 데다가
Oh, un petit peu
lentement,
s'il vous plaît...

독특한 억양까지 섞여서
스위스 사람과 얘기하는 프랑스
사람은
처음엔 배꼽을 잡고 웃다가

나중엔 갑갑해서 울화통이 터진다는
어제 밥을 먹는데
맛이 아주
좋아서?
아니, 그저 그런대로
그래서….
아휴~!

먹을 만하다고
생각할까 말까….
후아~!
하다가 마음을
잡아서….
드르렁
왜 그래?
이제 말
시작했는데….
끝날 때쯤 깨워줘.
쿨

우리나라(남한)의 반도 안 되는 작은 나라에
국어가 4개가 되는 것도 재미있지만
도이치어
프랑스어
이탈리아어
래토로만어
더욱 신기한 것은 이 나라 국민들이

자기가 쓰는 말이 아니면 다른 말은 거의 모른다는 거야.
??
그러니까 우리나라로 치면
경상도 사람이 전라도 사람과 얘기하는데

한 마디도 못 알아듣는다면
우리로서는 정말 답답하고 상상하기 어려운 일 아니겠어?
그러나 스위스 사람들은 워낙 자기 고향에 뿌리를 깊게 내리고 사는지라
우리야 자손 대대로 이 마을에 사는데….

별 불편을 못 느끼며 살고 있어.
말은 배워 뭘 해?
그러나 정부에서는 국민들이 서로 대화하며 살도록
말을 배웁시다!
말 가르치는 기관을 많이 만들어 '다른 국어' 배우기를 권장하고 있어.
국립 프랑스어 학원
국립 도이치어 학원
국립 이탈리아어 학원

예로부터 동양 사람들은
생활에 걱정과 근심이 없고 모든 백성이 만족하고 행복하게 지내는 태평성대를
떵 하오
요순 시대라고 일컬었지.
허어~ 요순 시대로다!
옛날 옛적 중국 은나라 시대에
殷
지금부터 약 3천여년전
요(堯) 임금, 순(舜) 임금이 다스리던 때는
워낙 정치가 어질고 훌륭하여
앉으나 서나 자나 깨나 오로지 백성의 행복….
백성들의 입에선 절로 노래가 나오고 집집마다 담장 없이 문을 열고 자도
세벽 종이 울렸쪼
세아침이 밝았쪼
도둑이 들지 않았다는 행복한 시대였다고 하지.
할 일 없어 미치겠다!
경찰
즉 지상의 낙원이었던 거야.
종이 울리네
꽃이 피네
아름다운 은나라에
은나라에
살으렵니다 ~~!

어진 요 임금은 이렇게 말씀하셨대.
가장 훌륭한 다스림은 백성을 만족하게 하는 정치요,
백성들이 나랏님의 이름조차 모를 때 이는 백성들이 정치에 관심을 안 가질 만큼 나라의 모든 일이 잘되어간다는 뜻이로다.
스위스가 바로 그런 형편이야. 왜?

나라의 형편이 어지럽고 살기 어려우면
끄르르룩
그것을 다스리는 사람의 잘못도 큰 만큼
백성들은 정치와 정부에 큰 불만을 품게 되고
물러가라! 갈아 치워라!
누가 새로 지도자가 되느냐에 관심이 쏠리지.
와글 와글
따라서 선거 때마다 치열한 경쟁이 붙게 마련이며
친애하는 유권자 여러분, 저에게 한표를...
국민들은 국민들대로
내 마음에 맞는 사람을 대표로 뽑아야지!
투표장
그러나 요(堯) 임금 말씀대로
백성들이 배불리 먹고 근심 걱정 없으며
꺼억
앞날에 대한 불안 없이 만족하게 되면
교육 무료
병원 무료
연금 노후보장
직장 보장
주택 보장
정치에 관심이 없고
국회에 ××를 보냅시다!
대통령이 누군지, 국회 의원이 누군지 전혀 관심이 없게 마련인데
국회가 뭐하는 곳인데 저러지?
스위스 국민들의 정치에 대한 무관심은 정말 대단한 것이야.
선거, 투표 좋아하네, 그런 거 할 시간 있으면 낮잠이나 자겠다!

스위스 사람들에게 한번 물어보라고.
안녕하슈?
지금 당신 나라 대통령이 누구요?
엥?
그런 게 있었나? 가만… 우리 나라 대통령이 누구더라…?
모르겠소. 그런 건 관심 없어!
!
이 지방 국회 의원이 누구요?
알 게 뭐야?
심심하고 할 일 없는 사람 중 누군가가 국회에 나갔겠지….
국회 의원이 누군지도 모르다니….
그런 건 알아 뭘 해?
당신이 뽑은 대표도 모른단 말요?
내가 뭘 뽑아?
이래봬도 내 평생 아직 투표 한 번 안 해본 몸이라우! 힛힛힛…!
민주 국가 시민으로서 고귀한 투표권을 포기하고 정치를 남의 손에 맡긴단 말요?
우리 마을 대표만 잘 뽑으면 국회 의원이든 대통령이든 있으나마나야!
그 시간에 놀러가든지 낮잠 자지 뭣하러 투표하러 가?

이처럼 스위스 국민의 정치에 대한 관심은
날이 갈수록 점점 낮아져
가장 중요한 선거인 국회 의원을 뽑을 때도
유권자 여러분!
쿨~
투표한 사람보다 안 한 사람이 훨씬 많아서
투표장
투표 참여율 40%라는,
투표율
40%
세계에서 제일 낮은 투표율을 보이고 있는 나라가 바로 스위스야.
열 사람 가운데 여섯 명이 투표하지 않았다는 얘기지, 히히히…!
아무리 안 돼도 투표율이 70~80%는 돼야 선거고 뭐고 말이 되지.
40%라면 다섯 명 가운데 두 명만 투표했다는 얘긴데 해도 너무했다!
대신 자신의 이익이 관련된 지방 선거에는 적극적으로 참여하지.
대통령이 누군지, 국회의장이 누군지, 아~ 그때 그 사람~ 모르겠다, 꾀꼬리
음머 ~~~
어쨌든 스위스는 세계에서 가장 국민 소득이 많고
가장 부자 국민이란 얘기지.
스위스
미국
도이췰란트
일본
영구 중립국이라서 전쟁의 위험도 모르고 사는데,
중립
이런 스위스란 나라는 어떻게 이루어진 것일까?

많은 사람들이 미국을 가장 잘사는 나라라고 얘기하고
아메리카 넘버 원!
미국이 세계 제일의 강대국임은 분명하지만
실제의 국민 살림을 보면 이야기는 약간 달라져.
미국이란 나라는 자본주의가 크게 발달한 나라라서
개인의 자본과 능력에 따라 얼마든지 돈을 벌 자유가 있다!
돈 있는 사람은 얼마든지 투자를 하여
2억 달러를 들여 공장을 지으면
돈을 벌어들일 자유가 있는 나라야.
매년 1천만 달러의 이익이 생긴다!
따라서 돈이 돈을 벌어
자본
이익
자본
이익
미국에는 엄청나게 큰 부자가 많은 대신
돈 벌 능력이 없어 굶주리는 사람도 수두룩하지.
꼬르르륵
미국 정부가 공식적으로 밝힌 제대로 먹지 못하는 가난한 사람이 2천 5백만 명으로
전체 미국 국민의 10%가 거지나 다름없다는 놀라운 사실은
이것은 위대한 아메리카의 커다란 수치다!
바로 유럽과 크게 다른 점이기도 해.

미국 국민의 평균 수입은 매년 3만 달러 이상이다.
100$
이것은 큰 부자와 가난한 사람의 평균치라지만
부자의 1년 수입은 수백만 달러이고
자가용 비행기
1년 수입 3,000,000달러.

가난한 사람의 1년 수입이 1만 달러일 때
실제 미국 국민의 매년 평균 수입은 유럽보다 훨씬 적어지지.
그러나 같은 자본주의 국가라 해도 서유럽 대부분의 나라에서는
영국
노르웨이
스웨덴
네덜란드
도이칠란트
덴마크
벨기에
프랑스
스위스
오스트리아
이탈리아

나라가 큰 부자들에게 엄청난 세금으로 수입을 거둬들여
부자의 수입
세금
국가
가난한 사람에게 모자라는 돈을 보태주기 때문에
보조금
가난한자 수입
빈부의 차이가 크게 벌어지지 않으므로
빈부의 차이가 커지면 사회 불안도 커진다!

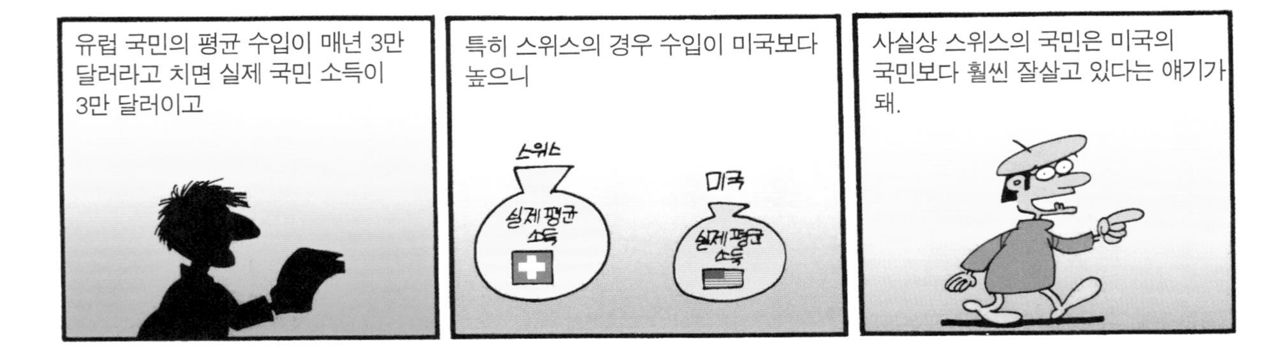
유럽 국민의 평균 수입이 매년 3만 달러라고 치면 실제 국민 소득이 3만 달러이고
특히 스위스의 경우 수입이 미국보다 높으니
스위스
실제평균 소득
미국
실제평균 소득
사실상 스위스의 국민은 미국의 국민보다 훨씬 잘살고 있다는 얘기가 돼.

또 스위스는 영구 중립국이라
우리는 어느 편도 들지 않는 영원한 중립이다!
전쟁의 걱정을 모르고 편히 살고 있다고 생각하겠지만
올라리요오….
천만의 말씀!

누구보다 전쟁을 두려워하며
누구보다 철저하게 전쟁에서 자기를 지킬 준비를 하는 나라가 스위스야.
중립? 좋~죠!

그러나 힘없는 중립이란 있을 수 없소이다!
중립만 믿고 힘도 없으면서 평화를 바랐다간
중립
남에게 짓밟히는 건 시간 문제고 나중에 누구에게 호소하겠어?

감히 남이 나를 건드릴 수 없게 튼튼한 방어 태세를 갖춰야 평화고 뭐고 있는 거예요!
그래서 영구 중립국인 스위스가 세계 최신 정예 무기로 무장하고
언제고 외적의 침입을 막아낼 완전한 힘과 준비를 갖추고 있다는 것도 잘 알려진 사실이야.
전투 준비 완료!

스위스의 인구는 약 8백만 명.
유럽인구
영국 약 6천만
도이칠란트 약 8천만
프랑스 약 5천만
스위스 약 8백만
이 가운데 약 1백만 명이 외국인이지.
스위스 국적을 갖지 않은 사람들 얘깁니다.
외교관, 상인,

유학생, 근로자 등 수많은 외국 사람들이 살고 있는데
세계에서 국적 얻기가 가장 어려운 나라가 스위스일 거야.
국적
저… 제가 스위스 국민이 되고 싶은데요….
그래요?

이 서류를 만들어 오슈.
!
그로부터 몇 년 후.
왜 여태 소식이 없죠? 되는 거요, 안 되는 거요?
아, 그거….

이제 주 의회를 통과했으니 곧 연방 의회로 올라갈 거요!
또 몇 년 뒤.
귀하는 스위스 국민이 될 자격이 있음을 인정함. 그 대신 스위스 국민이 되는 조건으로 10억 원을 정부에 기부하시오.
깍

스위스에 사람이 살았던 첫 흔적은
지금으로부터 약 2만 년 전으로 추측된다.
그때 고기잡이와 농사를 짓고 살았던 유적이 발견되고 있어.
이 지방의 위치가 지도에서 보면 알 수 있듯이 유럽 대륙의 한복판이라서
스위스
여러 민족이 이리저리 옮겨 다니면서
스위스 지방
이 지방도 스쳐 지나갔는데

여기에 뿌리를 내려 처음으로 정착한 민족은
게르만 민족의 한 줄기인 '켈트'족으로
이 민족은 유럽 대륙 거의 전체에 퍼져 살게 되었어.
켈트족

이 켈트족도 여러 갈래로 나뉘어 지금의 프랑스 지방으로 간 족속은 '갈리아'족(프랑스 어로 골루아).
Gaulois
지금의 스위스 땅에 넘어온 켈트족은 '헬베티아'족으로
Helvetia
이 나라의 이름과 역사의 뿌리가 되는 거야.
스위스
헬베티아

지금 스위스의 첫 주민인
'헬베티아'족은
노란 머리에 푸른 눈을 가진
용감무쌍한 무리로
와
성질이 사납고 전쟁을 즐겨했지.
이들은 겁도 없이 여기저기 마구
쳐들어가
와
와
죽고 죽이는 싸움판 벌이기를
일삼았고
헬베티아
깡패다!
한때는 프랑스 남쪽까지 내려가
싸운 적도 있었어.
헬베티아
그러나 기원전 110년경 크게 혼이
나는데,
때마침 갈리아 지방(지금의 프랑스)을
침략하던 로마 군대와 마주쳐
큰 전투를 치르고

잘 훈련된 로마 군대에 패해서

자기네 땅에 돌아와

꼼짝 못하고 숨어 사는 신세가 되었어.
덜덜덜덜

로마 군대에게 크게 혼난 헬베티아족은
자기 땅에서 숨어 지냈지만

이것을 로마가 그냥 둘 리 없었지.

우리 로마에 세계는 무릎 꿇어라!
드디어 기원전 58년
ROMA
율리우스 카이사르는 헬베티아족을 정벌하였고

로마 제국이 멸망할 때까지 약 5백여 년을 로마의 지배를 받게 돼.
로마
헬베티아족
정복자 카이사르는
이제 여기는 우리 로마의 식민지다!
강아지도 이름이 있는데 새 식민지에 이름이 없어서야 되겠는고?

여기는 헬베티아족이 사는 땅인 고로 '헬베티카'라 하여라!
이리하여 산투성이인 헬베티아의 땅에
빛나는 로마 문명의 뿌리가 내리게 되었던 것이다!

중국 역사를 보면
中國人史
수천 년의 세월이 흐르는 동안
수없는 문화가 꽃피고 시들어 갔지만
한 漢
당 唐
송 宋
원 元
명 明
청 淸
아직도 가장 찬란하게 빛나고 있는 문화가 있으니 그것은 바로 다름 아닌 '한(漢)'문화야.
漢
'한'민족의 피를 이어받은 자손이 전체 인구의 92%나 되고
我是漢族
나는 '한족' 이다.
지금도 중국에선 높은 대접을 받고 있으며,
오! 만다린!
'한'나라의 문화는 중국 문화의 바탕을 이루고
중 국 문 화
한문화
한나라를 무찌르고 새로 지배자가 된 나라도
또 이를 거꾸러뜨리고 새로 중국의 지배자가 된 다른 민족도
다투어 한나라의 문화를 받아들여
漢文化 한문화
결국에 피는 달라도 거대한 중국 대륙이 한나라 문화로 정신적 통일을 이루는데
서양에서는 그리스, 로마가 바로 중국의 한나라인 셈이야.
그리스 로마
서양
한 나라
동양

로마의 침략을 받으면
처음엔 목숨을 걸고 맞서 싸우고
죽어도 항복 못해!
결국 항복하더라도
로마에게 반항하지만
시간이 지나면서
…….
로마가 가져오는 빛나는 문화
그리고 뛰어난 정치와 기술은
차츰 정복당한 민족으로 하여금
햐~!
로마 사람이 되도록 끌어당기는 엄청난 힘이 되어
로마는 역시 뭔가 다르다….
로마가 정복했던 유럽의 거의 전체는
영국
프랑스
네덜란드 벨기에 지방
에스파냐
로마
남부 도이칠란트
로마 문명을 자기 나라 문명의 뿌리로 삼게 되는데
스위스도 마찬가지야.
로마문명

로마의 지배를 받으면서부터
스위스 지방의 주민들은
VENI, VIDI, VICI
로마의 말인 라틴어를 쓰게 되고
AIX, AQUA!
AVE!
QUO VADIS!

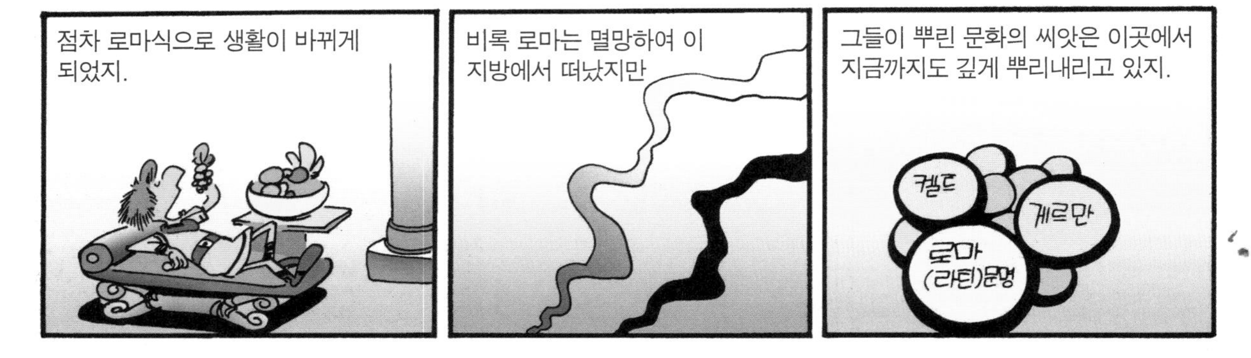
점차 로마식으로 생활이 바뀌게 되었지.
비록 로마는 멸망하여 이 지방에서 떠났지만
그들이 뿌린 문화의 씨앗은 이곳에서 지금까지도 깊게 뿌리내리고 있지.
켈트
게르만
로마 (라틴)문명

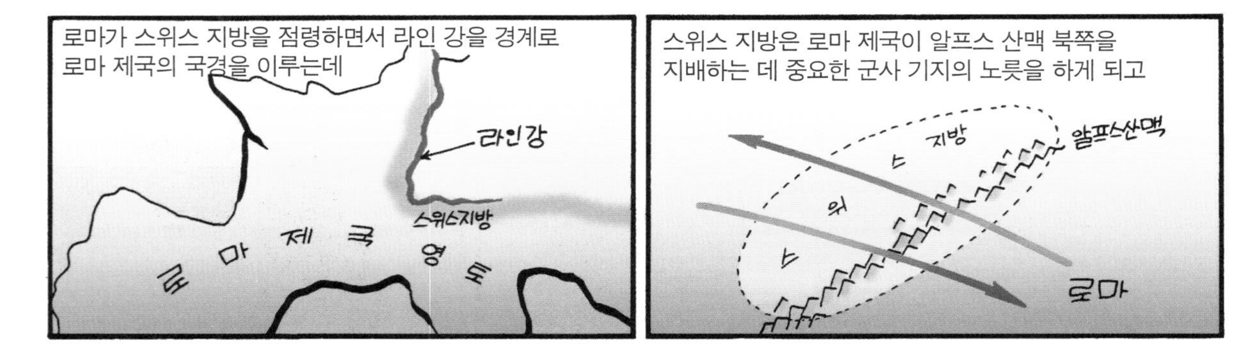
로마가 스위스 지방을 점령하면서 라인 강을 경계로 로마 제국의 국경을 이루는데
라인강
스위스지방
로마 제국 영토
스위스 지방은 로마 제국이 알프스 산맥 북쪽을 지배하는 데 중요한 군사 기지의 노릇을 하게 되고
알프스산맥
스위스 지방
로마

2천 년 전에 로마 군대가 넘어 다니던 알프스 산맥의 길은
지금도 그대로 남아 세계를 지배하던 로마의 발자취를 보여주고 있어.

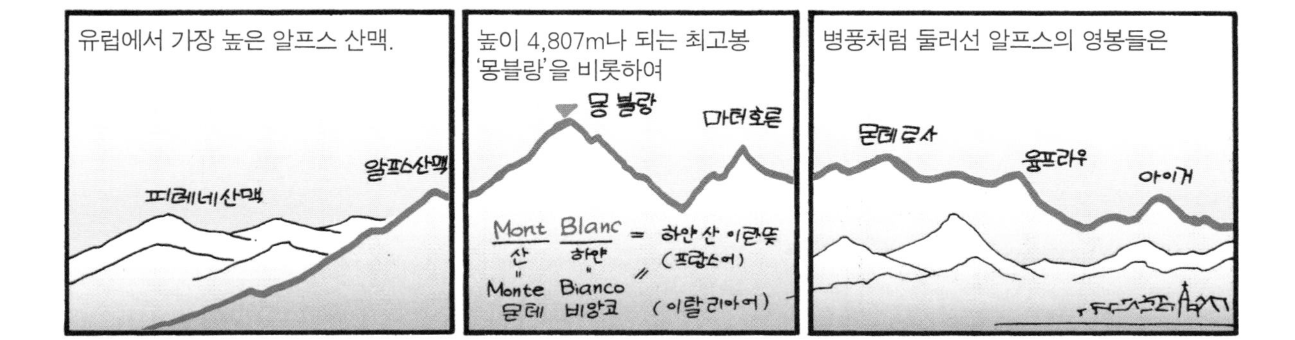
유럽에서 가장 높은 알프스 산맥.
알프스산맥
피레네산맥
높이 4,807m나 되는 최고봉
'몽블랑'을 비롯하여
몽 블랑
마터호른
Mont Blanc = 하얀 산 이란 뜻
산 하얀
(프랑스어)
Monte Bianco
몬테 비앙코
(이탈리아어)
병풍처럼 둘러선 알프스의 영봉들은
몬테로사
융프라우
아이거

감히 인간들이 가까이 갈 수 없는
신성함과 위엄을 풍기고 있는데
그 험한 계곡 사이사이를 타고
몇천 년 전부터 사람들은 알프스를
넘나들었지.

지금은 고속도로와 터널이 뚫려 순식간에 알프스 산맥을 넘지만
2천 년 전만 해도 그 험한 계곡 사이로

수만 명의 로마 군대가 그 숱한 무기와
장비를 끌고 이웃집처럼 드나들던
그 길을 찾아보면 다시 한 번 놀라움을 금할 수 없어.
햐~ 세계 지배를
아무나 하는 게 아니구나!

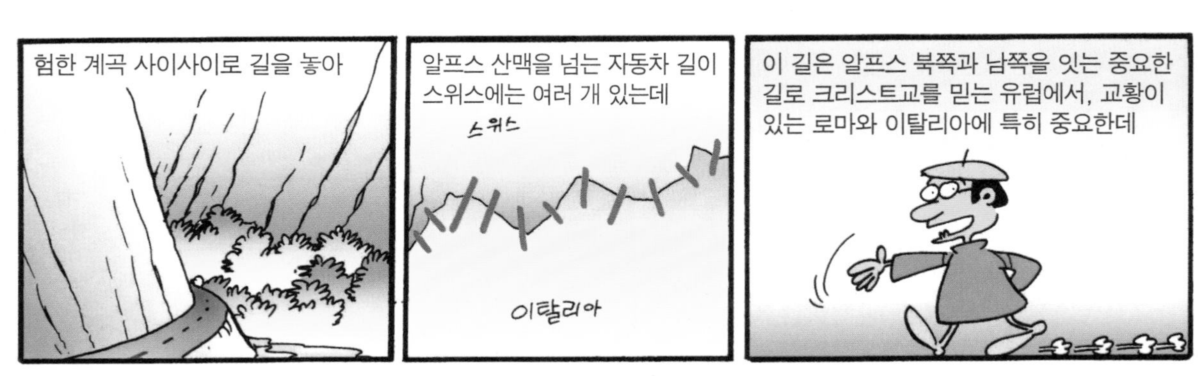
험한 계곡 사이사이로 길을 놓아
알프스 산맥을 넘는 자동차 길이 스위스에는 여러 개 있는데
스위스
이탈리아
이 길은 알프스 북쪽과 남쪽을 잇는 중요한 길로 크리스트교를 믿는 유럽에서, 교황이 있는 로마와 이탈리아에 특히 중요한데

스위스는 이탈리아와 도이칠란트를 잇는 대단히 중요한 통로이며,
도이칠란트
스 위 스
이탈리아
몇천 년 전부터 북유럽과 남유럽을 잇는 다리의 역할을 했던 거야.
북유럽
남유럽
스위스
몇백 년 전부터 스위스는 중립국이었고
중립

제2차 세계대전이 터지자 역시 중립국임을 선언했음에도
중립
와지끈 뚝딱
전 유럽을 지배하려던 나치 도이칠란트가 스위스를 그냥 놔둘 리가 없었지.
중립 좋아하네….
중립

더구나 나치 도이칠란트의 동맹국이었던 이탈리아와
나치 도이칠란트
동맹국
이탈리아
일본제국
쉽게 오고 가기 위해서는 스위스를 거치는 것이 가장 빨랐으므로
스위스는 군사적으로 꼭 필요하다.
히틀러는 스위스의 중립을 짓밟고 침략하려고 했어.
꼭 우리 손아귀에 넣어야 해!

이탈리아로 가는 가장 빠른 길을
차지하기 위하여
히틀러가 스위스 침공을
계획하자
이탈리아
이것을 눈치 챈 스위스는
흥, 내 그럴 줄
알았지!

만약 나치 군대가 우리의 중립을
무시하고 쳐들어온다면
앙리 기상
장군
Henri Guisan
평야 지방은 모두 내주겠다.
그러나…
우리는 험준한 알프스에 단단한 요새를
이미 완성해 놓았으며 그 안에서
최후까지 싸울 것이다.

그리고…
이탈리아로 통하는 모든 자동차 길과
터널을 폭파시켜버릴 것이다!!
바로 알프스를 넘는 길과 터널 때문에
스위스를 침공하려던 히틀러는
어매!

알프스 넘는 길과 터널 없는 스위스는
물 없는 오아시스 아니야? 점령해봤자
길도 못 쓰고 중립국 침략했다고
욕만 먹고….
놔둬라! 먹지도 못할 떡,
욕 먹으며 재 뿌릴 필요 없다!
스위스로서는 산도 무기였던 셈이지!
총칼만 무기냐?
자연도 무기지롱!

로마 제국이 멸망하자
유럽은 지배자 없는 세상이 되었고
북쪽에서 내려온 게르만족이 세력을 크게 떨치기 시작했는데
스위스도 게르만족 특히 프랑크 왕국의 지배를 받게 되었지.
게르만족
로마제국
프랑크 왕국은
FRANC
강력한 힘을 뽐내기는 했어도
어흥
자기 영토 구석구석을 모두 다스릴 만큼 나라가 자리잡히진 못했어.
야~옹 이라고?
그러니까 프랑크 왕국은 유럽에서 넓은 영토를 차지하고
프랑크 왕국
여러 민족을 굴복시켰지만
아직 나라의 틀이 제대로 잡히지 않아
로마처럼 꽉 짜인 정치 제도, 법이 없었으니까….
말만 주인이고 지배자였지…
내가 왕이다!
각 지방은 사실 자기들끼리 별 간섭 없이 살고 있었다.
누가 아니랬나?

더욱이 스위스 지방은 산투성이의 험한 땅이어서
'주인'인 프랑크 왕국의 손길이 거의 닿지 않아
사실상 독립된 생활을 하고 있었어.

오랫동안 남의 간섭 없이 살던 터라 스위스 사람들의 자유·독립 정신은
깊은 뿌리를 갖고 있는 거야.
누구든 우리 일에 끼어들면 나쁜 놈!
그래도 주인은 주인이라 프랑크 왕국은 스위스 지방의 지배자였고

섬겨야 할 주인이 있다는 것이 이 지방 사람들에겐 크게 못마땅한 것이었어.
투덜 투덜 투덜 투덜
요즘에야 스위스가 부자 나라지만
얘기를 잠깐 돌려….
지금부터 천여 년 전만 해도 찢어지게 가난해서
꼬르르륵
배고파!

식구들 벌어 먹이려고 돈 받고 전쟁터에 나가던 직업 군인이 많았다.
아빠, 돈 벌어 살아 돌아와!
산악 지방에서 우락부락하게 살아서 전쟁에 용맹한 스위스 군인은
유럽 여러 나라 왕들에게 크게 인기가 있었어.
스위스 군인 넘버 원!

스위스 군인이 용맹하고 싸움 잘한다는 평이 나자
돈만 주면 싸워드립니다!
프랑크 왕국의 왕은
허어… 스위스 군인을 많이 고용하여
우리가 세계 지배하는 데 공헌하도록 하렷다!
왕은 전쟁이 나거나 군대가 필요하면
군인 2천 명 보내라, 오버!
스위스 지방 귀족들에게 요청했고
이들은 또한
세상에 공짜가 어디 있냐? 대가 없이 남의 전쟁에 대신 나가는 바보짓을 누가 하냐? 오버!
좋다! 군대 2천 명 보내면 땅 5만 평 주마!
받은 땅 안에서 북 치든 장구 치든 맘대로 할 권리를 주마! 그리고 영주를 시켜주마!
그 대신 아주 주는 게 아니라 빌려주는 거야! 주인은 어디까지나 나니까! 기어오르기 없기, 알간?
그러니까 프랑크 왕국의 왕은 스위스 지방의 군인을 받은 대신
군대
왕
스위스 귀족
땅
이 지방 귀족들에게 땅 즉 봉토를 주어
수여증서
짐은 못나니 경에게 봉토
5만평을 내리나니, 경은
그 안에서는
대장임을 인정하며
자자손손 물려가며
누릴지어다
국왕
그 지방을 맡아 다스리도록 허락했던 거야.
마 영주
라 영주
가 영주
나 영주
다 영주

왕으로부터 봉토를 받고
옜다!
감사!
그 지방의 지배자가 된 많은
귀족들은
짠
이제 여긴 내 땅이니 내 마음대로
다스려도 된다! 그 누구도
내게 간섭 못해!
이젠 재판도 내가 하고 세금도 내가 받고
뭐든지 내가 다 해먹는다!
험악한 지형 때문에 왕의 감독이
심하지 않은 것을 이용하여
임금님이 계신 곳은
멀기도 해라!
모든 일은 자기들끼리 해결하려 들고
숙덕 숙덕
낄낄낄…
왕의 말 안 듣기를 밥 먹듯 하자
이리
오너라~!
싫다!
왕은 왕대로
요런 괘씸한 놈들이 있나!
그냥 둘 수도 없고, 산꼭대기까지
기어올라가 참견할 수도 없고….
그렇다면 교회를 이용해야지!
스위스 영주들이 가진 만큼 땅을
주면 교회 세력이 커질 거고
영주
교회
내가 교회의 우두머리를 임명하면
이 지방을 내 아래에 두어
다스릴 수 있는 거야!

왕은 교회에 많은 땅을 주어
이곳은 교회가
다스리는 지역임
교회가 그 땅을 다스리도록 하니
교회는 영주들 못지않은 큰 세력을
누리게 되는데
교회의 우두머리인 사제와 승려들은
결혼을 할 수 없으므로
땅을 물려줄 자식을 남길 수 없고
죽으면 그 땅은 다시 왕에게 돌아와
왕은 다시 새로운 교회의 우두머리를
임명할 권리가 있어서
누구를
시킬까?
사제와 승려들은 왕에게 충성할
수밖에 없었지.
저요!
저요!
저요!
따라서 왕은 교회를 손아귀에 쥘 수
있었고

왕의 보호 아래 교회는 넓은 영토와
세력을 잡고
영토
권력

지방 영주와 대결할 수 있었는데

이것이 스위스의 지방 자치와 함께
교회가 크게 자랄 수 있었던
까닭이야.

프랑크 왕국의 세력이 커질수록 왕은
어흠!
이 세상에서 제일 높은 사람은 나다!
어느 나라 왕이 나처럼 넓은 땅과 많은 신하를 거느리고 있느뇨?
모두들 내 앞에 무릎 꿇으라!
떵
떵
여기에 발끈하고 나선 것이 바로 로마 교황이야.
땍!
로마
제아무리 왕이라 하지만 괘씸하도다!
왕은 크리스트교 신자가 아니라더냐? 자, 이 도표를 보라고.
집중 분석
교황, 그는 누구인가?
교황청 제작
나는 하느님, 예수님 다음으로 가장 높으신 몸으로 크리스트교 신자를 모조리 다스리는 몸일진대
하느님
예수님
교황
← 왕도 포함
마땅히 왕도 내 앞에서 머리를 숙여야지, 아니면 하느님 뜻을 거역하는 짓이로다! 말 되지?
끄덕 끄덕
끄덕 × 100
그러나 교황은 교회 일만 보고, 백성 다스리는 정치엔 간섭 마시라!
백성이 모두 크리스트교 신자니 바로 내 자식들이라, 어찌 그냥 보고만 있으리오!
이래서 속권(왕권)과 교권(교황권)의 싸움이 치열해졌는데…
교황은 나가 놀아라!
지구를 떠나라!

왕과 교황이 서로 권력 싸움에 정신 팔다 보니
왕이 높다!
아니다, 교황이 높다!
자연히 자기 영토 구석구석까지 신경을 쓰지 못하게 되고
부하들 다스리는 데 소홀하게 되었지.

다시 말해 왕과 교황의 권력 싸움 통에 지방 영주들은
왕의 간섭도
우리들 세상
교황의 간섭도 별로 안 받게 되어
으쌰 으쌰… 아고 편해!

더욱 자연스럽게 자기 지방을 멋대로 다스릴 수 있게 되었는데
이들의 세력이 자라자 왕은 왕대로
우리 편 해라!
교황은 교황대로
이쁘지… 우리 편 해라!

다투어 영주들의 환심을 사서 자기 편으로 끌어들이고자 했으므로
우리 편 되면 땅 더 떼어줄게!
우리 편 되면 왕이 간섭 못하게 해줄게!
지방 영주들, 특히 스위스 지방의 영주들은
생각해 보죠!
작은 나라의 왕과 다름없는 자유와 권세를 누릴 수 있었던 거야.
우리는 중립! 왕도 좋고 교황도 좋고, 왕도 싫고 교황도 싫고!
메롱!

왕과 교황의 세력 싸움 덕에 간섭 없이
세력을 키운 스위스 지방의 영주들은
차츰 이웃 지방을 탐내게 되었어.
히히…!
저 조그만 땅 차지한 영주를
몰아내면 내가….

헤헤헤…!
으앗, 왜 이래?
임금님, 얘 좀 보래…
퍽
캑

왜 이리
소란스러우냐?
헤헤… 별것
아닙니다요!
얘가 자기 땅 다스리기
힘들다고 저더러 맡아
달라고….
헤헤… 돈 필요하시죠? 여기….

비단, 가죽… 또 뭘 드릴깝쇼?
에라, 귀찮다! 너희들끼리
알아서 해라.
안녕히
가십시….
이렇게 해서 스위스 지방은 몇몇 큰 영주가
권력을 잡고 다스리게 되었지.
여기선
내가 왕초다!

중앙유럽에서 세력을 떨치던 가문 중 신성 로마 제국의 주인이자 오스트리아 지방을 지배하던 가문 즉
유럽에서 가장 큰 세력을 잡고 있던 것은 합스부르크 집안으로
HABSBURGER
스위스 지방의 거의 전부를 손아귀에 넣고 오스트리아 지방까지도 지배하던 큰 세력이었어.
합스부르크
프랑스
지금의 스위스 국경
합스부르크 집안은 스위스 지방의 작은 영주들을 차례차례 굴복시키고 신성 로마 제국의 영토로 만드는 등
엄청난 영토와 세력을 자랑했는데
합스부르크 집안에 굴복은 했어도
워낙 오랫동안 남의 간섭을 받지 않고 살아오던 이 지방 사람들에겐
뼛속 깊이 반항심과 미움이 쌓여가고 있었지.
빠드득
지금은 너희 집안이 너무 강해서 아무 소리 못하고 있지만
언젠가는 그 굴레를 벗어던지고 옛날처럼 자주, 독립을 찾으련다!
부르르르
벼르고 벼르던 이들에게 드디어 때가 왔어.
합스부르크 가문이 집안 싸움으로 흔들리기 시작한 거야.
와지끈- 뚝딱
합스부르크

집안 싸움으로 흔들리던 합스부르크 가는
들먹
합스부르크
들먹
1232년 결국 몇 동강이로 갈라졌고
스위스 지방에서의 세력도 자연히 약해졌지.
그러나 워낙에 강력한 합스부르크 집안이어서
야!
부잣집은 망해도 3년은 먹고산다는 거 몰라?
우리에게 감히 덤비는 자 있으면 콩가루로 만들어줄 테다!
합스부르크 가는 이탈리아 쪽에 세력을 뻗으려 했는데
…….
이탈리아
알프스 넘는 길을 손아귀에 넣기 위하여
비교적 자기네 세력의 영향을 받지 않고 자유롭게 살던 스위스의 산악 지방을 탐내게 되었지.
흠…!
이곳을 지배하지 않고는 알프스를 마음대로 넘나들 수 없다!
이런 음모를 알아차린 것이
스위스 사람들이 합스부르크 집안에 맞서 들고 일어서게 된 불씨였어.
저자가 이젠 산 위에까지 기어올라 오려고 한다!

합스부르크 집안이 비록 광대한 영토를 차지하고
프랑스
도 이치 제국
합스부르크 가 영토
유럽 제일의 세력을 뽐내고는 있었으나
어디까지나 도이치 황제의 신하로
폐하!
마음대로 남의 땅을 빼앗을 수는 없었지.
도이치 제국의 땅 주인은 오로지 짐뿐이니라!
그 당시 도이치 황제는 프리드리히 2세로
그러니 내 말 잘 들어라!
그에게 반항하는 신하들을 누르는 데 애를 먹고 있었어.
싫소!
합스부르크 가는
폐하!
불충한 역적들 때문에 얼마나 힘이 드시나이까?
그러게 말일세!
저는 충성된 폐하의 신하로서
이를 두고 볼 수 없사온즉, 저의 군사를 풀어 폐하를 돕겠나이다!
오냐, 기특한지고….
그 대신…
?

제가 군사를 풀어
폐하를 돕는 대신…
쓸데없는 땅을 조금 떼어
제게 내려주시옵소서!
어느 곳을 갖고 싶으냐?
산·바위투성이인 알프스
산맥의 한 조각입니다.
알프스
산맥….
요놈 봐라…
알프스 산맥 넘는 길을 손아귀에
넣고 이탈리아 쪽에 세력을
뻗으려는 속셈이렷다….
그러나 반역자들의 반란을 막으려면
당장 군사가 필요한걸….
싫으시면 할
수 없고요….
아, 아니!
좋다! 알프스 산맥 지방의 통치권을
그대에게 맡기노라!
그러나 아주 주는 건
아냐! 빌려주는 거지.
하모요!
성은이 망극하여이다!
이래서 자유롭던 알프스 지방이 공식적으로
합스부르크 집안의 손아귀에 넘어갔는데….
합스부르크

자유롭게 살던 알프스 산맥의
스위스 사람들은
합스부르크
자유가 아니면 죽음을!
싸우자!
여보게들, 그게 아니야!
자유도 살아야 누리지, 죽으면
자유고 뭐고 없는 거야.
그건 그래….
우리 땅을 합스부르크 집안에 넘겨준 건
우리의 황제이시니, 들고일어나면
그건 반역이라 안 되네!
그럼 합스부르크 집안의 지배를
받고 살아야 된단 말이오!
잠깐!
황제께서 합스부르크 집안에 우리 땅을
빌려주신 것이지, 아주 주신 건 아니야!
그것도 그래.
황제께선 지금 늙고 병들어
골골하신 형편이니
머지않아 그 아드님 하인리히께서
세력을 잡으실 게야.
지금 황제께서 스스로 합스부르크
집안에 약속하신 걸 취소할 리도
없으니 조금만 참고 기다리세!

아니나 다를까 얼마 지나지 않아
스위스 사람들 목
늙고 병든 도이치 황제 대신
콜럭
콜럭
그 아들 하인리히가 도이치 제국의 권력을 맡게 되었어.
알프스 지방 스위스 사람들은
이때다!
황금 보따리를 싸들고 그를 찾았지. 이른바 '로비 활동'을 시작한 거야.
전하, 저희들의 성의를 받아주시옵소서!
기특하도다, 이렇게 많은 황금을….
그대들 정성이 갸륵하니 소원이 있으면 들어주리라!
스위스 사람들이 합스부르크 집안의 지배를 받게 된 내력을 설명하고
…하오니
포악한 합스부르크의 지배에서 벗어나 다시금 전하의 충성스러운 신하가 되도록 해주시옵소서!
흠…
그러나 그 일은 아버님이 결정하신 거고 아버님이 살아 계신데 자식된 도리로 어찌.

전하, 그러나 지금의 통치자는 전하이시고
폐하께서도 합스부르크 집안에 저희 땅을 빌려주셨지.
아주 떼어주신 건 아니옵니다!
그건 그래!
끄덕 끄덕
여봐라! 합스부르크 집안을 불러라!
하인리히는 합스부르크 집안에게
여봐라!
예!
그대에게 빌려준 알프스 지방을 짐이 도로 찾겠노라!
엥! 그게 무슨 말씀이오니까?
무슨 말씀이라니….
내 땅 내가 도로 찾겠다는데 말이 많다!
합스부르크는 당장 알프스 지방을 떠나고
그 지방에는 자유와 독립을 줄 것이며
다시는 그 누구에게도 빌려주거나 떼어주는 일이 없을 것이다!
합스부르크 집안은
치사하게 돈 몇 푼에 요랬다조랬다…. 두고 보자!
뿌드득

하인리히가 아버지인 도이치 황제를
대신하여
알프스 지방에 자유와 독립을
약속했는데
이것이 스위스 역사에 중요한 첫
'자유 서약서'로서
FREIHEITSBRIEF
KANTON : URI
스위스 역사상에 처음으로 자유와
자치권을 인정받은 주가 탄생한
거야!
이것이 '우리(Uri)' 주로서
피어발트슈태터 호수
VIERWALD-STÄTTER-SEE
우리
자유 스위스의 씨앗이 되었지!
'우리' 주가 한 방법으로
우리도 돈
갖다 바치자!
옆의 알프스 지방인 '슈비츠' 주가
이어서 합스부르크의 지배를
벗어났으며
슈비츠
Schwyz
뒤이어 '옵발덴', '니트발덴' 주가 자유를
되찾게 되었어.
옵발덴
Obwalden
니드발덴
Nidwalden
그러니까 알프스 지방의 이 네 주가
오늘날 자유 스위스의 바탕이 된 거야.
피어발트슈태터
호수
슈비츠
평 야
니드발덴
옵발덴
우리
알프스산맥시작
그러나 강대한 합스부르크 가도
만만치 않아서
흥!
이름만 거창한 황제가 한 일을 내가
두려워하랴! 내가 네 녀석들을
그냥 둘 줄 아니? 자유 좋아하네!
두고 보자고….

합스부르크의 지배에서 4개 주가 떨어져 나간 직후
자유
이 4개 주에는 또다시 커다란 위험이 다가오고 있었어.
쿠릉
우리
슈비츠
옵발덴
니드발덴
쿠릉
역사에 보면 '대공위 시대'라 하여 (1254~1273)
황제
대대로 도이치 황제를 물려받아 다스리던 집안의 대가 끊어져
족보
끝
도이치 황제 자리가 비어 나라 안이 온통 뒤죽박죽이 된 거야.
와글 와글
나중에 각 지방의 세력 있는 영주들이 모여 황제를 선거로 뽑았지만
바이에른의 영주 미남 로베르트 공이 어떻소?
찬성!
찬성!
반대!
반대!
찬성!
반대!
그때까지는 황제 없는 나라라 마치 주인 없는 집안 같아서
세력 있는 지방 영주들이 날뛰던 때였지.
호랑이 없으면 여우가 왕이지!
가장 세력 있는 집안의 하나인 합스부르크 집안도
드디어 때는 왔다!
순식간에 자유 약속을 받은 4개의 주에 쳐들어와
자유 약속은…
다시금 지배자로 군림한 거야.
합스부르크
자유 같은 소리하네…

4개의 자유 스위스 지방을 점령한 합스부르크 집안은
합스부르크
자유 4주
요놈들, 어디 맛 좀 봐라!
도이치 황제에게 뇌물 바치고 자유를 샀어? 웃기지 마라!
너희들이 우리 합스부르크 집안의 손아귀를 벗어날 수 있을 것 같으냐?
이때부터 합스부르크의 지배자는
무시무시한 공포 정치를 폈는데
덜덜덜
자유, 독립을 요구하는 자는 모조리 잡아 가두거나
사형에 처하는 등
짧은 자유를 누리던 스위스 4주는 다시금 공포와 불안에 떨게 되었다.
사형!
감옥!
사형!
추방!
곤장 20대!
사형!
그래도 자유와 독립을 위하여 많은 사람들이
끈질긴 싸움을 시작했는데,
우리의 자유와 독립은 포기할 수 없다!
전설의 인물 '빌헬름 텔'이 활약하던 것이 바로 이때지.

합스부르크의 탄압을 피해
자유를 찾아 차츰 많은 사람들이
깊은 알프스 산맥으로 숨어들었다.
이들은 어느새 큰 무리를 이루게 되고
스위스 용병 몰라?
싸움엔 도가 텄다!
자유, 독립을 되찾기 위한 싸움을 벌였는데
자유
독립
1293년 깊고 깊은 알프스의 험한 계곡에서

자유 4주에서 모여든 스위스 사람들 사이에 엄숙한 동맹이 이루어지게 되었다.
'우리', '슈비츠', '옵발덴', '니트발덴' 4개의 자유 주는
이에 엄숙히 선언하노라!

이 4주는 이제부터 영원한 형제이고 혈맹이로다!
우리는 우리의 자유와 평화를 위하여 살아도 같이 살고, 죽어도 같이 사는 한 몸임을 하느님께 서약하노라!
이것이 스위스 역사에 빛나는 '제1차 동맹'이며, 스위스의 탄생이었던 거야!
Der 1. Bund

자유 4주가 맺은 동맹.
우리
슈비츠
옵발덴
니트 발덴
지금은 그 내용을 적은 기록은 남아 있지 않으나
그 내용은 지금까지 자세히 전해 내려오고 있어.
동맹에 가입한 우리들은
외적의 침입으로부터 우리 스스로를 지키기 위하여 영원히 단결한다!
말뿐이 아닌 행동으로도 서로서로 도우며 만일 우리 가운데 하나가
외적의 침략을 받으면 모든 물자와 능력을 동원하여 함께 싸우리라!
동 맹
우리 사이에 혹시 다툴 일이 생기거나 옳고 그름을 가리기 어려운 일이 생기면
동맹에 가입하지 않은 공정한 이웃을 심판관으로 삼아 판결을 받으리라!
우리는 서로간에 신의를 지키며 기쁠 때나 슬플 때나
한 형제, 한 몸으로 영원히 함께하리라!
Uri
Schwyz
Obwalden
Nidwalden
1273년… '스위스'가 탄생한 해!

1273년 '스위스 동맹'이 이루어지고
죽어도 같이 죽고 살아도 같이 산다!
침략자 합스부르크 집안에 대한 싸움이 열기를 띠자
왁
왁
차츰차츰 이 동맹에 가입하는 주가 많아져 8~9주로 늘어나고,
저거 그냥 둬도 괜찮을까요?
자유를 되찾기 위한 싸움에 참가하는 숫자가 점점 늘어나
스위스 동맹군은 합스부르크에게 커다란 위협이 될 정도로 자랐지.
물러가라!
지구를 떠나라!
당시 합스부르크의 우두머리는 오스트리아 왕 '레오폴트 1세'로
고얀 놈들!
알프스 산 속에서 나무나 하고 양젖이나 짜고 있을 것이지,
무엄하게 짐에게 반항을 해?
펄
펄
내 이 알프스의 산적들을 모조리 쓸어버릴지어다!
나의 강력한 군대를 총동원하여 '스위스 동맹군'이란 산적떼의 씨를 말리리라!
쾅
전쟁이닷!

스위스 지방의 지배자 합스부르크 집안의 레오폴트 1세는
내 부하들아, 몽땅 모여라!
자기에게 반항하여 동맹을 맺은 4개 주를 굴복시키기 위하여
큰 군사를 일으키기에 이르렀지.
경들!
스위스 동맹이랍시고 산속에 숨어 저항하는 산적떼들을
모조리 무찔러 우리 합스부르크 왕가의 위엄을 드높이고 다시는 반항할 생각을 못하게 해야 하오!
오토 경!
예!
경은 군사를 이끌고 왼쪽을 공격하시오.
호수
스위스동맹군
루체른 성주!
예!
경은 호수를 건너 공격하시오!
예!
나는 대군을 이끌고 정면을 공격할 것이오!
레오폴트1세
루체른 성주
호수
스트라스부르크 오토 경
산맥
스위스 동맹군
알프스
이래서 스위스 동맹군은 바람 앞의 등불처럼 되었는데….

드디어 운명의 날은 왔다!
스위스 동맹군을 격파해서 전 스위스 지방을 손에 넣으려는 레오폴트 1세는
총공격 명령을 내렸다.
대군을 세 갈래로 나누어 공격하되
스위스 동맹군
레오폴트 1세가 몸소 지휘를 맡아
주력 부대의 앞장에 섰던 거야.
알프스의 산적떼를 뿌리 뽑자!
스위스 동맹의 운명이 결정될 순간이었지.
레오폴트 1세의 대군은 물밀듯이
진격에 진격을 거듭했으나
둥 둥 둥 둥 둥
어쩐지 스위스 동맹군은 그림자도 보이지 않았다.
핫핫핫!
지레 겁먹고 산속에 꽁꽁 숨어버렸구나!
그러나…
쓱

레오폴트 1세가 이끄는 대군이
험준한 알프스 산맥 깊숙이 진군하여
둥 둥 둥 둥 둥
'모르가르텐(Morgarten)' 이란 곳에 이르렀는데
취리히
추크(ZUG)
모르가르텐
애게리 호수
루체른
1581
알트도르프
이곳은 한쪽은 절벽, 한쪽은 깊은 호수 사이에 자리잡은 곳이었어.
둥둥둥
뚜우
앗, 저기 웬 녀석이….
와아
와
복병이다. 전투 준비~!
아차, 덫에 걸렸구나!

스위스 동맹군은 이곳에 숨어
레오폴트 1세의 대군을
기다리고 있었던 거야.
공격
쿠르르르릉
쿠르르르
콰르르…
스위스 동맹군은 미리 준비한
바윗덩이를 굴려 내렸는데
바윗덩이 소나기를 맞은 레오폴트 1세의
대군은 순식간에 허물어지기 시작했지.
으악!
사람
살…
꽥!
공격~ 공격~! 침략자의 최후가
어떻다는 걸 가르쳐주자!

소나기처럼 쏟아지는 바윗덩이에 레오폴트 1세의 대군은 대번에 풍비박산 나고
수많은 병사가 돌에 깔려 죽거나 호수에 빠져 목숨을 잃었는데
잔인한 장면 생략
겨우 살아남은 병사들은 혼비백산하여 목숨을 건지려고 무기도 집어던진 채 도망치기 시작했어.
엄마
그제서야 스위스 동맹군은
돌격~!
도망치는 적을 한 놈도 남기지 말고 쳐부숴라!
저들이 영원히 우리 땅을 넘볼 꿈조차 꾸지 못하도록!
모르가르텐 계곡의 전투는 스위스 동맹군의 대승으로 끝나고
스위스 동맹을 격파한다는 합스부르크의 꿈은 산산이 깨졌는데
이 모르가르텐 전투는 스위스가 거둔 첫 군사적 승리로 역사에 빛나고 있지.
모르 가르텐
*모르가르텐의 전투

모르가르텐 전투에서 대패한
레오폴트 1세는
어매~
작은 고추가 맵다더니
이게 웬일이니?
수나라 양제의 대군이 고구려 을지문덕에게
고스란히 당했다는데 내가 그 꼴 아니야.
이 망신, 이 치욕!
복수
…를 했으면 좋겠다만
산골짜기에 숨은 놈들과
싸웠다간 손해만
볼 게고….

녀석들아, 알프스산 바위 구석에서
잘 먹고 잘살아라~!
잘먹고
잘살아라~
잘 먹고 잘살 테니, 공연히 간섭하거나
집적대지나 마쇼~!

그래도 너희들 산에서
내려오면 그냥 안 둬!
좋다고! 그 대신 산에 올라오기만
해봐라… 그냥 콱!
이제 알프스 넘어 다닐 궁리는
다시 하지 마쇼~!

알프스 넘어 다니는 길을
모조리 막고
오는 족족 바윗덩이 맛을
보여줄 테니 그리 아쇼!
!
그… 그건 안 돼!

그렇게 되면 알프스 남쪽의 우리 영토
다스리는 게 몇십 배 힘들어져….
이… 이봐!
우리 이럴 게 아니라 만나서 얘기하자고!
이래배도 난 평화를 사랑한단 말씀이야.
흑

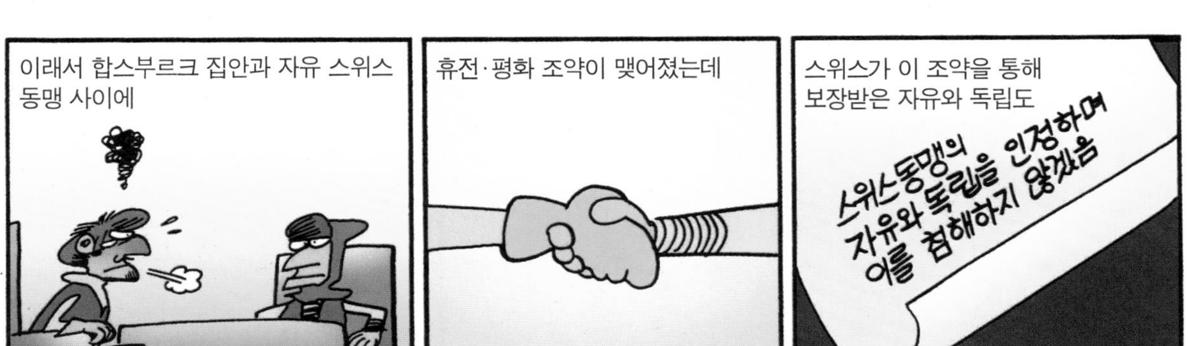
이래서 합스부르크 집안과 자유 스위스
동맹 사이에
휴전·평화 조약이 맺어졌는데
스위스가 이 조약을 통해
보장받은 자유와 독립도
스위스동맹의
자유와 독립을 인정하며
이를 침해하지 않겠음

합스부르크 군대를 물리칠 수 있었던
무력이 없었더라면 어림도 없는
일이었던 만큼
모르가르텐 대첩 이래 오늘날까지
힘없이 평화?
'무장 평화'는 스위스의 철저한
원칙이 되고 있지.
웃기는 소리
마쇼!

합스부르크와의 휴전·평화 조약이
이루어지자
자유 스위스 동맹은
꺄호~
봤지? 봤어?
봤지, 봤어!

바로 그거야.
뭉치면 살고 흩어지면 죽는다!
그러니 우리는 승리에 취해 안심할 것이 아니라, 외적의 침입에 대비해 더욱 든든한 단결을 해야 해!

맞아, 평화란 우리가 정신 똑바로 차리고 언제건 적을 맞아 싸워 이길 준비가 되어 있을 때에만 가능한 거야.
합스부르크 집안이 언제 또 쳐들어올지 모른다고!
그러니…

우리가 맺은 영원한 동맹을
더욱더 굳고 단단하게 다져야 한다!
이래서 스위스 자유 주들의 새로운
동맹이 계속 이루어졌지.

자유 스위스의 새로운 동맹은…
맹세!
맹세!
우리 동맹에 가입한 주는 첫째…,
어떤 주도 다른 주의 동의나 허락 없이는 어떤 지배자를 섬기지 않는다! 즉 허락 없이 남의 밑으로 들어가지 않는다.

둘째, 우리 동맹에 가입한 주는 다른 주의 동의 없이 그 누구와도 동맹을 맺어서는 안 된다!
동맹 아닌 주
동 맹
금지
스
맹
위
스
동
셋째, 우리 동맹에 가입한 주는 전쟁을 치르게 된 주와 생사를 같이한다!
이것은 사실상

이 동맹에 가입한 주들은 서로 자기의 주권을 지키되
너는 너.
나는 나.
한 운명 공동체가 되는 하나의 나라를 이루었음을 뜻하지.
그러나 우리는 하나!
이 동맹의 원칙은
① 동의 없이 남의 지배를 받지 않을것
② 동의 없이 남과 동맹을 맺지 않을것

오늘까지 이어져 내려오는 스위스의 외교 정책의 원칙이며
SCHWEIZ
다른 나라에게 간섭받지 않고 간섭하지 않겠다는 원칙은 오늘의 영구 중립국의 바탕이 되었는데
영구중립
그래서 스위스를 오늘도 정식으로는 '스위스 동맹'이라고 부르는 거야.
스위스
Schweizerische
Eidgenossenschaft
동맹

모르가르텐 대첩에서 스위스 동맹군이 레오폴트 1세의 대군에게 승리하자
이 사건은 이웃으로 큰 파문을 일으키며 번져나가
합스부르크 통치에 불만을 품은 여러 지방에 자유와 독립의 불을 당겼어.
…라더라!
수군 수군
숙덕 숙덕
수군 수군
제일 먼저 '루체른' 주가 스위스 동맹에 가담했고
루체른(LUZERN)
호 수
스 위 스 동 맹
다른 여러 주들도 합스부르크의 지배를 벗어나 스위스 동맹에 가담할 움직임을 보이고 있는 줄 아뢰오~!
크~ 고약한 놈들!
이대로 두었다간 우리 합스부르크의 뿌리가 흔들릴 것으로 아옵니다!
그렇다면 어느 한 주에게 본때를 보여 스위스 동맹에 가입하지 못하도록 해야겠구나.
요사이 '취리히' 주가 동맹에 가입하려는 눈치가 있사옵니다!
그럼 우리 군대를 취리히 주 쪽으로 옮겨 겁을 주도록 하라!
합스부르크의 침공 위협을 받은
취리히
호수
추크
슈비츠
스 위 스 동 맹
취리히 주는 스위스 동맹에 도움을 청하지.
살려줘~

취리히 주의 원조 요청을 받자
스위스 동맹은
그래, 취리히도 우리 이웃이고
동포며
특히 합스부르크의 통치 아래
신음하고 있으니
우리 동맹에 가입시킴이
마땅하오!
이래서 취리히는 스위스 동맹의
하나가 되는데,
ZÜRICH
이에 합스부르크의 분노는 폭발한다.
이제 도저히
그냥 못 둬!
합스부르크 왕가의 체통을 걸고,
꽝
취리히를 굴복시켜
다른 주들이 내 지배를 벗어나
스위스 동맹에 가담치 못하도록
해야 한다.
취리히로 총진군이닷!
합스부르크 군대의 진군 소식을 들은
취리히 시장 '부룬'은
뭐야?
취리히
오스트리아 군대가 쳐들어와?

애고,
큰일이로구나!
어서 스위스 동맹에 알려 우리 위기를 도와달라 해라!
나리, 그러기엔 이미 늦은 줄로 아뢰오!
합스부르크 군대가 물밀듯 쳐들어오는데
스위스 동맹군이 도착하기 전에 이 도시는 점령될 것이고
우리 모두는 합스부르크를 배신한 죄로 사형을 면치 못할 것인즉
목숨을 건지기 위해서도 미리 항복하심이 옳은 듯하옵니다!
그건 안 돼!
우리 스위스 동맹은 죽어도 같이 죽고 살아도 같이 살도록 서약했으며
다른 주의 허락 없이 남의 점령, 지배를 받지 못하게 되어 있네!
성주 나리! 합스부르크 군대가 성 근처에까지….
나리! 스위스 동맹군이 출동하였다 하옵니다!
항복이냐, 투쟁이냐…
그것이 문제로다!

'취리히' 시를 포위한 합스부르크 군대는
시장 부룬은 들으시오!
그대는 우리 합스부르크 왕가를 배반하고 스위스 산적떼와 야합하였소!
이제 순순히 항복하여 성문을 열면 목숨은 살려주겠으되
끝까지 저항하면 모조리 사형에 처할 것이니 그리 아시오!
아휴~ 우리 동맹군은 어디까지 왔노?
우리 가까이까지 진격은 했어도 적군을 뚫고 오려면 큰 전투를 치러야 합니다.
우리 동맹군이 적군과 싸워 이길 수 있을지 없을지도 모르고.
적군은 당장 성문을 부수고 쳐들어오려 하니….
와
와
하는 수 없다….
성문 위에 백기를 올려라! 항복이다….
안됩니다!
!
와
와

죽기 아니면 살기로
싸워야 합니다!
지금 항복하면 우리는
영원히 합스부르크의
노예가 됩니다!
끝까지 싸워 자유와 독립을 누리느냐,
아니면 영원한 노예가 되느냐,
어느 쪽을 택하시렵니까?
그렇다… 자유와 독립은
무엇보다 소중하다!
전투나팔을 불어라!
뚜우
뭐야, 끝까지 반항하겠다고?
공격~! 총공격!
이래서 치열한 전투가 벌어졌는데….
와
만세~! 스위스 동맹군이다!

용감한 동맹군은
와
당황한 적군을 무찌르고
포위당한 취리히 시를 구할 수 있었지.
만세!
만세!
취리히에 입성한 동맹군은
취리히의 안전을 확보하기 위하여
합스부르크의 지배를 받는 지방을
취리히
합스부르크
호수
스위스 동맹
강제로라도 우리 동맹에 가입시켜야
한다! 그래야 취리히가 안전해진다!

이래서 취리히와 자유 동맹 사이의
땅을 점령,

스위스 동맹의 영토로 선포했어.
이곳은 우리 영토!

이처럼 동맹 주의 세력과 영토가
넓어지자
스위스동맹

이웃의 여러 주들도 스위스 동맹에
가입하니
베른 주
글라루스 주
합스부르크 왕가는 드디어 중대 결정을
내리기에 이르지.
이대로 두었다간
큰일 나겠다!
합스부르크가 망하든지
스위스 동맹이 깨지든지
이제 길은 오직 하나다!

드디어 1388년
둥
둥 둥
스위스 동맹의 운명을 건 큰 전투가 벌어진다.
둥
둥
둥 둥
스위스 지방에서 우리의 세력을 지키려면 동맹군을 쳐부숴야 한다!
우리 땅에서 외적을 몰아내고 자유와 독립을 지키자!
동맹군이여, 총공격~!
합스부르크의 충성스런 병사들이여 총공격~! 알프스의 산적떼를 토벌하라!

이른바 '젬파흐(Sempach)' 전투로 일컬어지는 큰 싸움에서
Sempach
용맹한 스위스 동맹군은
또다시 적군을 물리치고 대승리를 거두었어.

합스부르크 왕가는 어쩔 수 없이
왜 우린 싸우기만 하면 질까?
휴전 협정을 맺게 되는데
50년 동안 절대 서로 공격하지 않는다는 평화 보장이기도 했지.
50년 동안 집적거리기 없기!
알았쪄….

스위스 동맹군의 도움으로
취리히 지방은 자유와 독립을 얻게 되었으나
자유·독립
취리히는 나름대로 엉뚱한 속셈이 있었다.
흥!
비록 스위스 동맹의 도움으로 합스부르크의 손아귀에서 벗어나긴 했지만,
우리야 워낙 동맹이고 뭐고 없이 우리끼리 살아오지 않았나!
이제 와서 도와줬다고 으스대는 동맹군 꼴도 보기 싫고 하니
이 기회에 동맹에서 빠져나와 우리만의 나라를 세우자!
취리히가 이런 생각을 하게 된 까닭은
원래 취리히가 돈이 많은 도시여서 전쟁을 치를 능력이 있었고
$
더욱이 영국과 프랑스 사이에 벌어졌던 백년 전쟁(1337~1453)이 끝나
이 전쟁에 참가했던 수많은 스위스 직업 군인들이
일자리를 찾아 돈 많은 취리히로 쏟아져 들어온 데 있었지.
직장 구함

용맹하기로 유명한 스위스 직업 군인들이 실업자가 되어 들어오자
취리히는 이들을 고용하여
군인모집
취리히로 모여라!
막강한 군사력을 갖추고
동맹 탈퇴를 선언했지.
너희들과 안 놀아! 나는 나다!
스위스 동맹이 이를 그냥 둘 리 없었어.
이건 배신이다!
화장실 갈 때와 갔다온 뒤 마음이 다르다더니.
오스트리아의 침략에서 건져주니까 이제 와서 딴소리냐?
우리 동맹은 가입도 힘들지만 한번 들면 제멋대로 나갈 수 없다!
죽어도 같이 죽고, 살아도 같이 살기로 서약한 이상 결코 그냥 탈퇴시킬 수 없다!
내가 나가겠다는데 무슨 잔소리냐?
사실 그동안 구해줬다고 거들먹거리는 꼴, 정말 아니꼬웠다고!
안 돼! 무력을 써서라도 너희는 못 나가! 제멋대로 들락거리지 못한다는 본때를 보여야 돼!

취리히의 탈퇴는 무력을 써서라도 막을 테다!
어디 막을 테면 막아봐!
스위스 직업 군인들로 무장해 자신이 있었던 취리히는 선수를 쳐서
공격은 최선의 방어다!
스위스 동맹의 지도적 역할을 하던 슈비츠 주에 압력을 넣었는데
슈비츠만 꺾어놓으면 돼!
식량을 북쪽 도이칠란트 지방에서 사다 먹던 슈비츠 지방의 약점을 이용,
도이칠란트
취리히
슈비츠주
중요한 식량 수송 길을 막아버리고
자, 굶어 죽기 싫으면 우리의 탈퇴를 인정해라!
이에 다른 주들이 취리히를 무찌르기 위해
타도, 취리히!
다시금 동맹군을 이루매
스위스 지방은 우리나라 6·25와 같은 동족 상잔의 비극을 피할 수 없게 되었지.
더구나 오스트리아까지 취리히 편을 들고 나서
괘씸한 취리히지만 스위스 동맹은 이가 갈린다!
전쟁은 한층 커지게 되었어.
스위스 동맹군
취리히·오스트리아 연합군

그러나 막상 전쟁이 시작되고 보니
집안 권력 싸움에 정신이 팔린 오스트리아 합스부르크 왕가의 도움도 뜨뜻미지근했고
응원군 보내라! 급하다!
보낼 군대가 없다!
더욱이 취리히가 하늘처럼 믿었던 스위스의 용감한 군인들이
돌격
동족끼리의 전쟁에선 별로 용감하지 않아서
형님 아니유?
정말 어이없게 취리히의 대패로 끝나고 말지.
항… 복….
항복한 취리히는
성님요!
정말 잘못했수다! 내 다시는 이런 짓 안 할끼라요….
영원히 충성된 동맹이 될 테니 한 번만 봐주소…!
그렇다면 영원히 오스트리아와 손잡지 않겠다고 맹세할 수 있겠나?
하고 말고요!
싹싹 싹
이처럼 스위스의 동맹이 단단해지고 점점 그 규모가 커지자
스위스 동맹
이에 못마땅한 눈초리를 보내는 나라가 있었으니
바로 영국과의 백년 전쟁을 끝내고 한숨 돌린 이웃 프랑스였어.

프랑스는 영국과의 백년 전쟁을
치르는 동안은
영국
국토가 피폐하고 국력이 쇠잔하여
와지끈 뚝딱
프랑스
전쟁을 치르기에도 벅찬 처지였으나
핵 핵 핵 핵 핵 핵

백년 전쟁이 끝나고 나라의 힘이
차츰 회복되자
서서히 이웃 나라 문제에
간섭하기 시작했는데
감 놔라
대추 놔라!
제일 먼저 눈에 거슬린 것이 스위스
동맹이었어.
못 놓겠다!
저것들을 그냥 두면 언젠가는
큰 세력으로 자라서 우리에게
덤벼들 것이다.
저 동맹이 더 자라기 전에
가지를 잘라버려야 해.
그렇지 않으면 저 괴물이 얼마나
커질지 모른다!

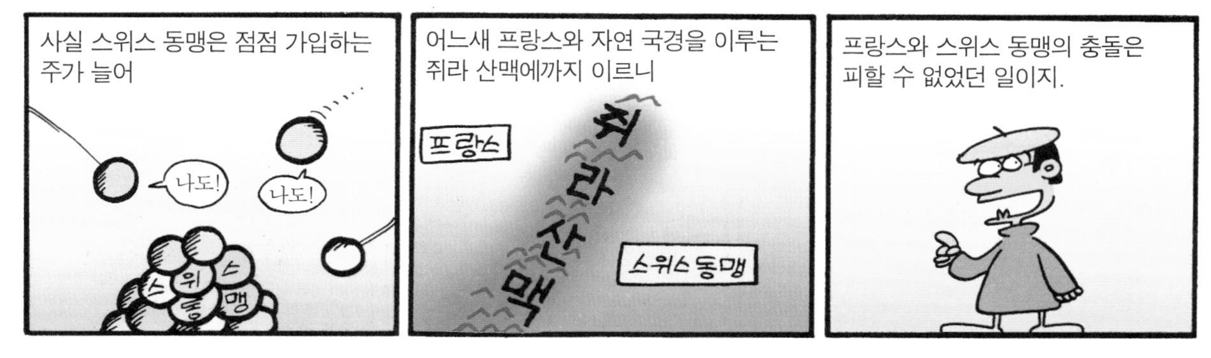
사실 스위스 동맹은 점점 가입하는
주가 늘어
나도!
나도!
스위스 동맹
어느새 프랑스와 자연 국경을 이루는
쥐라 산맥에까지 이르니
프랑스
쥐라 산맥
스위스 동맹
프랑스와 스위스 동맹의 충돌은
피할 수 없었던 일이지.

조그만 스위스 동맹을 깔본 프랑스는
몇 번 집적거려보았으나
콩
오히려 크게 혼이 나자…
빠
야~ 작은 고추가 맵다더니
고것 정말 대단하네….
우리는 전쟁을 해서 단
한 번도 진 적이 없다!
크…
그렇다면 대프랑스의 명예를
걸고라도 너희들을….
좋아, 우리도 생각이
있쩌!
부르고뉴 왕국과 군사
동맹을 맺겠다!
부…부… 부르고뉴
왕국?!
부르고뉴 왕국은 지금은 프랑스의 영토지만
프랑스가 강해지기 전 오랫동안 프랑스와
경쟁하던 나라로
프 랑 스
도이칠란트
부르고뉴
왕국
스위스 동맹
프랑스와 맞먹는 강대한 세력을
떨치고 있었지.
프랑스
부르고뉴
바…발칙한 것들!

프랑스의 침략을 막기 위해
스위스 동맹이 부르고뉴 왕국과 동맹을 맺으려 하자
내… 내 저 발칙한 놈들을….
폐하, 참으시오소서!
쫀심땜에 몾참아!
작전을 바꾸셔야 합니다!
스위스 동맹군이 보기엔 쬐그매도 수십 년 동안 합스부르크 왕가를 상대로 전쟁을 해온 녀석들입니다.
그래서 전쟁엔 도가 텄을 뿐 아니라
한번 물면 끝까지 안 놓는 오기까지 있어서 자칫 잘못 건드렸단 망신당하기 쉽습니다.
더구나 놈들이 부르고뉴와 손을 잡으려 드는데….
스위스 동맹과 부르고뉴 둘을 건드리지 마시고
스위스 동맹과 부르고뉴 왕국을 서로 이간시켜 저희들끼리 싸우도록 하심이… 헷헷헷….
…! 그건 또 무슨 소리야?

오히려 이 기회를 이용하여
스위스 동맹을 우리 편으로 끌어들여 부르고뉴를 침으로써
우리의 적인 부르고뉴 왕국을 아주 꺾어버리심이… 헷헷헷….
…….
스위스 동맹이 보기엔 조그맣고 별것 아니지만, 당돌하기가 이를 데 없고….
전쟁에 도가 터서 스위스 애들과 손만 잡으시면 부르고뉴 왕국쯤은 식은 죽 먹기입니다.
스위스 동맹군이 아직까지 전쟁에서
단 한 번도 져본 적이 없음을 잊지 마시옵소서!
그건 그래….
이래서 프랑스의 정책은 180° 바뀌어
전쟁
동맹
오히려 스위스 동맹과 손을 잡게 되는데
그동안 미안해! 우리 친하게 지내자고!
알고 보면 나도 나쁜 사람 아니야, 부르고뉴가 나쁜 나라지….
좋소!
우리는 우리의 안전과 독립, 자유를 지키기 위해서 그 누구와도 손을 잡을 것이오!

스위스 동맹이 프랑스와 손을 잡으니
프랑스
동맹
스위스 동맹
발끈한 건 당연히 부르고뉴 왕국이었지.
괘씸한 것들!
생쥐처럼 이익을 위해 간에 붙었다, 쓸개에 붙었다….

스위스 동맹이 부르고뉴 왕국보다 프랑스와 손을 잡은 건
프랑스
합스부르크 집안에 대한 뿌리 깊은 원한이 이유였는데,
합스부르크 왕가
오스트리아
부르고뉴
부르고뉴 왕국도 오스트리아와 함께 합스부르크의 핏줄을 가진 탓이었어.

따라서 합스부르크 집안과 철천지 원수 사이인 프랑스와 동맹을 맺으니
당장 부르고뉴 왕국이 들고 일어나
스·프 연합군과

부르고뉴 왕국 군대가 결국 전쟁을 벌이게 되었는데
누가 이겼을까?
뻔하지. 스위스 동맹이 또 이겼지!
어쨌든 우리는 싸웠다 하면 이긴다니까….

부르고뉴와 스·프 연합군의 전투에서 스·프군이 승리하자
스위스와 프랑스
전쟁에 진 부르고뉴 왕국은 세력이 크게 꺾이고
많은 영토를 빼앗기고 말았어.
부르고뉴
점령된 영토
프랑스
스위스동맹
경쟁자 부르고뉴 왕국을 꺾은 프랑스는 크게 만족하며
으핫핫핫핫
기분 째진다!
빼앗은 영토 절반 이상을 스위스 동맹에 주었는데
옜다, 가져라!
점령지
프랑스
스위스
이것은 아주 약은 계책이었지.
이제 부르고뉴가 잃은 땅을 찾기 위해 스위스 동맹과 전쟁을 일으키겠지.
둘이 싸우는 동안 우리는 잠자코 있다가 둘 다 약해지면 모두 집어삼켜야지… 힛힛힛….
그러려면 우선 부르고뉴와 평화 조약을 맺으셔야 합니다.
그래야만 부르고뉴는 스위스 동맹을 치기 위해 온 힘을 쏟을 것 아닙니까?
자넨 역시 머리가 좋아!
헷헷헷!
이래서 프랑스, 부르고뉴는 서로 침략하지 않는다는 평화 조약을 맺으니
우리는 평화를 지키며 서로 침략하지 아니한다.
부르고뉴
프랑스
부르고뉴 왕국은 마음 놓고 스위스 동맹을 칠 칼날을 갈게 되었어.
득득득득
칼 가는 소리

당시 부르고뉴의 왕은
'용감한 카를'이란 별명을 가진 '카를' 로서
막강한 세력을 자랑하던 오스트리아의 합스부르크 왕가와 친척 관계에 있고
매부!
처남!
프랑스와 경쟁하던 위협적인 존재였지.
프랑스가 약삭빠르게 스위스 동맹군과 손을 잡고
용감한 카를의 군대를 꺾고 빼앗은 땅의 많은 부분을 스위스 동맹에 떼어준 다음
재빠르게 다시 이번엔 '용감한 카를'과 평화 조약을 맺었다고 했지?
우리끼린 더 싸우지 마세!
'용감한 카를'은
이제야말로,
우리가 쓰러지든가, 아니면 스위스 산적떼를 쓸어내든가, 최후의 결전이다!
잃어버린 땅도 되찾고 부르고뉴의 위신도 되찾아야 한다!
이를 악물고 벼르는 '용감한 카를'에 스위스 동맹은….
프랑스가 카를과 약삭빠르게 평화 조약을 맺었으니….
이젠 죽으나 사나 우리의 힘만으로 카를을 막아내야 한다!

드디어 1476년
부르고뉴의 '용감한 카를'은 군사를 일으켜
공격
스위스 동맹군을 꺾기 위한 전쟁을 일으켰다.
와 와

어느 한쪽도 물러설 수 없는
잃어버린 땅과 명예를 되찾기 위하여!
모든 것을 건 전쟁이었지.
우리의 생명과 자유, 독립을 위하여!
이 전쟁은 2년간 계속되었고

세 번의 큰 전투가 있었는데,
그랑드손 전투
1476
무르텐 전투
1476
낭시 전투
1477
누가 이겼을까?
놀라지 마~ 또 세 번 모두 스위스 동맹군이 이겼어.

이겨도 보통 이긴 것이 아니라 그 용맹스러운 카를의 대군을 묵사발을 만들어놓은 거야!
스위스가 지금 영구 중립을 지키고 있는 것도
중립
이처럼 역사를 통해 빛나는 군사적 승리가 있었기 때문에 가능했지.
중립을 아무나 할 수 있는 건 줄 알아?

이름만 들어도 울던 아이가 울음을 그친다던 '용감한 카를'의 대군을
카를 대왕이 온다!
뚝
전멸시키다시피 크게 무찌르고 대승리를 거둔 스위스 동맹군은
이번엔 오히려 적의 땅에까지 쫓아 들어가
부르고뉴
국경

'용감한 카를'의 커다란 땅덩어리를 점령, 자기네 땅으로 만들어버렸어.
우리땅
싸움에 진 '용감한 카를'은 너무도 원통한 나머지
애고 애고
혹 떼려다 혹 붙인다더니, 스위스 산적떼에게 땅까지 빼앗기다니….

그해를 못 넘기고 화병으로 세상을 떠나지.
쿵
한편 스위스 동맹은
전쟁에 이기고 적의 땅도 차지했지만,
남의 땅을 차지하고 있으니 적들이 땅을 되찾으려 또 싸움을 걸어올 테고

우리는 항상 전쟁의 불안 속에서 살아야 할 것이오.
그렇다고 빼앗은 땅을 거저 돌려줄 수야 없지 않소?
그건 그래!
내게 좋은 생각이 있소!

우리가 차지한 부르고뉴의 땅을
프랑스에 팝시다!
?
?
?
그렇지 않아도 이 지방을 프랑스 왕이 탐내고 있으니
이 땅을 팔아버리면 우리는 부르고뉴와 땅 때문에 싸울 필요가 없고,
우리는 우리 땅만 지키면 되니 골칫거리를 하나 더는 셈이오!
이래서 스위스 동맹은 프랑스와 협상을 벌이는데,
사시겠수?
암, 사다마다!
그 지방은 내가 진작부터 갖고 싶어하던 곳인데… 그곳만 차지하면 부르고뉴는 내게 다시는 대들지 못하게 되고…
스위스 동맹은 15만 굴덴을 받고 점령한 부르고뉴의 영토를 팔았고,
15만 굴덴
땅 문서
돈 생겨서 좋고
골칫거리 덜어 좋고, 꿩 먹고 알 먹고 헤헤헤….
랄
랄
랄

이처럼 싸우기만 하면 승리를
거두었던 스위스 동맹이었지만
꼭 한 번 크게 진 적이 있었어.
그 이유는 분수에 맞지 않게 남의 땅을
탐낸 탓이었지.

스위스 동맹에 가입한 주가 열셋으로
늘어나고
스위스
동맹
계속된 전쟁의 승리로 우쭐해진
스위스 동맹은
어험!
우리 실력이라면 알프스 남쪽의
양지바른 땅 좀 이탈리아로부터
빼앗을 수 있지 않을까?

이래서 스위스 동맹은 처음으로 북부
이탈리아를 집적거렸는데
스위스 동맹
이탈리아
이탈리아에 큰 관심을 보이던
프랑스와 싸움이 붙어
짜식!
1515년 크게 패하고 말았다.

그 후로는 다시는 자기 땅을 지키는 것
이외에 다른 싸움은 하지 않았는데
침략하지도
침략당하지도
않겠다!
자신의 생명과 자유를 지키는 데엔
목숨을 걸고 싸우기 때문에 이길 수
있지만
남을 괴롭히기 위해 벌이는 싸움은
결국 지게 된다는 교훈을 받은
셈이지.
분수를
알라!

어떤 외적과 싸워도
자유와 독립을 지키려는
스위스 동맹은
항상 승리해왔고
왜 우리는
싸우기만 하면
이길까?
어떤 강적도 결코 넘보지 못할 정도로
'작은 고추'인 스위스는 탄탄하였으나
알프스의 독종들은
안 건드리느니만
못하다!
지금까지 한마음 한뜻으로
뭉쳐
죽어도 같이!
살아도 같이!
적과 싸우던 스위스 동맹이
똘똘
꽁꽁
(뭉치는 소리)
스위스동맹
이젠 자기네끼리 서로
물고 뜯는 피비린내 나는 싸움을
벌이게 돼.
우지끈
뚝딱
이런 집안 싸움은 스위스만이 아니라
크리스트교를 믿는 나라라면 모두
한바탕 겪게 되는데
마르틴 루터가 종교 개혁의 횃불을
들면서
유럽은 온통 신교, 구교로 갈라져
죽고 죽이는 싸움으로 가득 찼어.
와
신교도
죽여라!
와
구교도
죽여라!

지금이야 종교의 자유가 있어서
크리스트교를 믿든 다른 종교를 믿든 개인의 자유지만
얄라~
나무 관세음 보살
옛날의 유럽엔 크리스트교, 특히 가톨릭이 나라마다 국교로 되어 있어
가톨릭
이를 믿지 않는 사람이나 교회의 말을 안 듣는 사람은
이교도!
온갖 잔인한 방법으로 죽였고
가톨릭 교회의 교리만이 참된 교리로 모든 사람이 믿어야 했던 시대에
가톨릭 교리가 아닌 걸 주장하거나 믿는 자는 하느님의 뜻을 거역한 이단자로….
가톨릭 교회의 잘못을 외치며 뒤집어 엎어야 한다는 종교 개혁 운동은
가톨릭 교회는 모두 비뚤어졌으니….
유럽을 벌집 쑤신 듯 소란하게 만들고 말았는데,
와글
옳다!
그르다!
와글
무슨 소리야?
와글
죽여!
잘모르겠다!
와글
스위스 동맹도 이 회오리바람에 휩쓸리고 만 거지.
스위스 지방에서 나타난 유명한 종교 개혁가가 둘 있는데
이 작은 나라에서 크리스트교 역사에 중요한 종교 개혁가가 둘이나 나온 것을 잘 새겨두시오!
교회사
서쪽 제네바 지방의 '장 칼뱅 (Jean Calvin)' 과
모자 →
1509. 7. 10 노용 출생
1564. 5. 27 제네바 사망
동쪽 취리히 지방의 '울리히 츠빙글리 (Ulrich Zwingli)' 였어.
모자 →
1484. 1. 1. 빌트하우스 출생
1531. 10. 11 카펠에서 전사

'장 칼뱅'과 마찬가지로 '울리히 츠빙글리'도 과격한 종교 개혁가로
하느님이 정녕 원하시는 믿음은…
허례허식에 가득 차고 썩은 가톨릭을 배척하며
가톨릭 교회처럼 형식만 찾고 속은 썩은 믿음이 아니다!
성경 말씀에 따라 사회를 온통 뜯어 고치려고 했었지.
말로 못 고치면 칼로 고치련다!
가톨릭 교회가 부패하고 돈 뜯어가기에 정신이 없자
천당 가는 표라는 면죄부 종이쪽지를 비싼 값에 팔아먹는 짓도 서슴지 않으니….
처음엔 이것을 고쳐야 한다고 주장한 츠빙글리의 말에
스위스 동맹 사람들은 찬성을 했었어.
그거 말 되네.
말인즉슨 옳은 말.
암, 잘못은 고쳐야지.
그러나 츠빙글리의 요구가 점점 심해지고
이거 고쳐라!
저거 고쳐라!
이건 안 돼!
저것도 안 돼!
드디어 백성들이 먹고사는 것을 제약하는 주장까지 나오자 문제는 달라졌지.
츠빙글리는 주장하기를
돈을 받고 전쟁에 나가 사람 죽이는 일을 직업으로 삼는 것은 하느님 뜻에 어긋난다!
또 아무에게나 잠자리와 먹을 것을 돈 받고 대주는 여관업도 하느님을 섬기는 데 깨끗한 몸가짐이 못 된다!
따라서 돈 받고 팔려가는 직업 군인도 여관업도 해선 안 된다!
당장 이에 반대하는 고함 소리가 터져 나왔지.
야, 너 그거 제정신으로 하는 소리냐?

크게 화를 내며 대든 것은 당연하지.

야, 그럼 우린 뭐해 먹고사니?
굶어 죽으란 말이냐?

먹고살 길이 막연한 건 알지만
하느님을 올바로 섬기는 것은
무엇보다 중요하다!

쳇, 무슨 소리야?
하느님도 먹어야 섬기지!

어쨌든 직업 군인과 여관은 못할 줄 알아! 하느님 말씀을 따라야 한다!
웃기지 마라! 우리도 우선 먹고살아야겠다! 하느님이 우리 굶어 죽으라 했대냐?
우리더러 굶어 죽으라는 것과 다름없는 종교 개혁이고 신교라면, 차라리 옛 가톨릭교로 돌아가겠다!
그렇다면 무력을 써서라도 못하게 할 테다!
이래서 취리히 등 평지 지방의 스위스 동맹 주들은 츠빙글리 편에
우리 말 안 듣는 자들을 때려눕히자!
와글 와글
산악 지방의 스위스 동맹 주들은 그 반대편으로 갈라져 뭉쳤는데
우리 직업 빼앗으려는 츠빙글리 일당, 무찌르자!
와글 와글
츠빙글리가 지휘하는 신교파는 신교를 믿는 다른 주들과 연합하여 세력을 키우고
신교
반대편은 이에 맞서기 위하여
가톨릭을 믿는 오스트리아의 '페르디난트' 왕과 손을 잡으니,
헛헛헛… 잘 오셨소!
스위스 동맹은 츠빙글리의 신교파,
츠빙글리파
(신교)
가톨릭파의 둘로 크게 갈라져
페르디난트파
(가톨릭교)
언제 전쟁이 터질지 모르는 위기 속으로 치닫게 되었지.

신교파, 구교(가톨릭)파로 크게 갈라진
크리스트 연맹 Christliches Burgrecht
우리는 진짜 크리스트교도
스위스 동맹은 아니나 다를까
크리스트 동맹 Christliche Vereinigung
1529년 한바탕 결판을 내기 위해 총출동 명령을 내렸지.
취리히
츠빙글리 신교 군대
가톨릭 연합군
스위스 산악지방

그래서 하마터면 같은 스위스 동맹끼리 6·25와 같은 전쟁이 벌어질 판이었는데

전쟁이 터지기 직전
잠깐!

신교파였던 '베른' 주의 영주 '애블리'가 전쟁 반대를 선언하고,
우리 이게 무슨 꼴이오!

백여 년도 넘는 오랜 세월을 우리 형제들의 자유와 독립을 지키기 위해 싸워온 우리가
서로 같은 하느님을 두고 싸우게 되다니, 자랑스런 선조들에게 부끄럽지 않소?
제발 이러지들 맙시다! 이러지 말고 말로 해요. 대화로 해결하자는 말입니다! 자, 자, 이리들 와요!

이래서 대전투가 벌어질 뻔했다가 '애블리'의 주선으로 전쟁 직전에 휴전하게 되는데
휴전협정
우리는 아직 싸워보지도 않았지만 어쩌구 저쩌구 해서 휴전한다.
신교대표 취리히 츠빙글리
중개인 베른 영주 애블리
가톨릭대표
서로의 속셈은 크게 달랐지.
두고 보자! 내 목적을 꼭 이루고야 말 테니….
다시는 너희들의 간섭은 안 받을 테다!

신교파와 가톨릭파의 휴전은 이루어졌지만
휴전
종교 개혁가 '츠빙글리'는
산골짜기의 가톨릭파 조무래기들이,
가톨릭을 버리고 내 앞에 무릎을 꿇을 때까지는 수단 방법을 가리지 않으리라!
츠빙글리는 가톨릭파 세력을 꺾기 위해서
타도, 가톨릭!
이웃 도이치 왕국은 물론
도이칠란트
멀리 덴마크까지도 한편에 끌어넣어, 자기파 세력을 키웠어.
가톨릭을 꺾고 우리 신교 세력을 떨치려면….
덴마크 왕국
지나치게 많은 것을 요구하는 츠빙글리에게
이거 해라.
저거 해라.
이거 고쳐.
저거 고쳐.
신교파 안에서도 불만, 불평의 소리가 높았고
이거 너무하지 않소?
노골적으로 반항하는 세력도 많았으나
츠빙글리부터 없애자!
이러다가 나라 망치겠다!
츠빙글리는 최후의 선언을 하였다.
산골짜기의 가톨릭 조무래기들아!
가톨릭을 버리고 항복하여 신교를 믿으라!
그렇지 않으면 그대들에게 식량이 운반되는 모든 길을 막아버릴지니라! 겨울이 다가옴을 잊지 마라!

츠빙글리의 선언은
식량 운반 도로를 막겠다!
산악 지방의 가톨릭파에겐
뭐라고?
이거야말로 우리를 굶겨 죽이겠다는 선언 아니냐?!
이건 우리에게 전쟁을 선포한 것과 다름없고
우리는 살기 위해서 어쩔 수 없이 칼을 뽑노라!
그리하여 새로운 세상을 만들겠다는 야심에 찬 츠빙글리의 군대와
가톨릭을 때려부숴라!
살아남기 위해 이에 맞서 일어선 산악 지방 가톨릭 군대가 맞부딪쳐
우리의 자유를 지키자!
같은 하느님을 섬기는 형제끼리
하느님의 이름으로!
하느님의 이름으로!
불행한 전쟁을 치르게 되었다.
신교파
가톨릭파
양쪽 군대는 '카펠'이라는 곳에서 충돌하여
카펠
KAPPEL
두 번에 걸친 피비린내 나는 전투를 벌였는데
그 결과는 어땠을까?

츠빙글리가 이끄는 신교파 군대와
신교
와
산악 지방 가톨릭 군대의
대전투 결과는
와
가톨릭
가톨릭군의 완벽한 승리로 끝나.
가
신교파는 츠빙글리의 지나친 야심에
불만을 가진 사람이 많아 단결이
잘 안 된 반면
너무 제멋대로
하려 든다!
가톨릭 군대로서는 도저히 져서는
안 될 전투였지.
여기서 지면 우린
모두 츠빙글리란
미치광이의 노예가 된다!
생쥐도 급하면 고양이를 무는 법!
식량 운반길을 막아 우리를 굶겨
죽이려는 츠빙글리에게
신의 저주가 있으라!
돈 받고 전쟁터에 나가 전투 경험이
몸에 밴 산악 지방 군대라
돈 받고 전쟁
해줍니다.
츠빙글리의 군대는 '카펠' 전투에서
박살이 나고
츠빙글리 자신도 여기서 전사하는데
과연 야심에 찬 종교 개혁자요
성경
풍운아 츠빙글리다운 죽음이었지.
믿음에 살고
믿음에 죽고
츠빙글리는 비록 야망은 이루지
못했지만 스위스가 낳은 대정치가요
종교 개혁자요 영웅의 하나였어!

츠빙글리가 꿈꾸었던 종교 개혁은
실패로 끝나고
가톨릭은 스위스 동맹에서 다시금
단단한 발판을 다지는데
가톨릭
지금까지도 신교의 나라라는
스위스에서 취리히나 산악 지방
동쪽은 가톨릭교도가 많지.
교황님은
우리의….

그러나 제네바, 베른 등 서쪽
스위스는 신교가 지배하는데,
제네바
베른
츠빙글리의 뒤를 이어 맹렬한 종교
개혁 운동을 벌인 혁명가의 활약
때문이야. 그의 이름은 그 유명한
장 칼뱅(Jean Calvin)!

칼뱅은 1509년 프랑스의
'누아용'이란
곳에서 태어나
응애~~
노용 NOYON
법관이 되고자 법률 공부를
시작하였으나
때마침 '마르틴 루터'가 불을 당긴 종교
개혁 운동에 끼어들어
그렇다!
가톨릭은 뜯어
고쳐야 한다!

가톨릭을 버리고 열렬한 신교도가 되지.
내 평생을
바쳐 잘못된 믿음을
바로잡으리라!
그러나 프랑스는 신교도를 몹시
탄압하였으므로
신교도는 모조리
꽉꽉 밟아라!
싹싹 쓸어라!
그는 활약하던 파리를 등지고
도망 나오게 돼.

파리를 빠져나간 칼뱅은 1535년
파리
신교도들이 많은 스위스로 가서
스위스
오르막길 조심
제네바란 도시에서 신교의 전도사로 활약하는데
깨어라!
회개하라!

그의 주장과 요구가
그대들은 썩은 가톨릭교에 젖어 신교로 바꾼 뒤에도 썩은 정신을 버리지 못하고 있도다!
당시 사람들에게 너무 지나쳤으므로
이제부터 술 마시지 마라! 담배 피우지 마라! 노래 부르지 마라. 춤추지 마라!
야, 그럼 우린 무슨 재미로 사냐?

인생을 재미 때문에 사냐? 이 벌레 같은 인생들아!
너희들은 죄인이다! 회개하고 용서받으려면 평생을 하느님을 믿는 데 바쳐야 한다!
아… 믿씁니다!

웃기네!
혼자 많이 믿어라 …
뻥
결국 1538년 칼뱅은 제네바에서 쫓겨나
갈 곳이 없어지자 다시 고향인 프랑스로 돌아가지.
월드컵 대표도 아닌 게 발길질은.
프랑스

다시 프랑스로 돌아온 칼뱅은
인생은 나그네길~
파리에서 쫓겨 도망쳐 온 위그노(신교도)들이 많이 모여 있는
스트라스부르
STRASSBOURG
신교도 피난민 수용소
이산가족 집합소
'스트라스부르'란 도시에서 신교도를 돌보는 일을 맡아 몇 년을 보내게 돼.
엄마 보고 싶어요….
참고 기다려라. 그리고 기도하라!
3년 뒤인 1541년 칼뱅은
전보, 아니 급한 전갈이오!
스위스 제네바에서 다시 돌아오라는 부름을 받지.
!
귀하와 같은 엄하고 철저한 종교 지도자가 필요하니,
군말 빼고…. 어서 이곳 제네바로 돌아와 신교도들을 이끌고 믿음의 바른길을 인도해 주시오. 신의 가호와 함께~
제네바의 신교도들
제네바로 돌아온 칼뱅은
제네바
신교도들을 모아 큰 세력을 떨치고
모두모두 모여라!
드디어는 정치 권력까지 손에 쥐어 제네바의 최고 통치자가 됨으로써
신교 역사상 처음으로 종교인으로서 정치 지도자가 돼.
칼뱅
신교의 우두머리
제네바 통치자
교권
정권
칼뱅은 제네바를 철저한 신교 도시로 만들고
허례허식 타파! 성경에 철저 충실!
엄한 정치 권력을 휘둘러 사람들의 간담을 서늘하게 했지.
쩌릉 쩌릉

칼뱅은 제네바에서 권력을 잡자
하느님의 뜻에 따라 다스리리라.
종교 재판소를 만들어
종교뿐 아니라 모든 문제를 종교 재판으로 엄히 다스렸고
그대의 죄는?
돈지갑을 훔쳤죠!

'도둑질하지 마라'는 십계명을 어긴 죄, 네 스스로 알렸다!
꽝
사형! 끓는 기름 가마솥에 집어넣어라!
땅 땅 땅
그대는 무슨 잘못으로 왔느냐?
예배에 두 번 빠졌습니다.

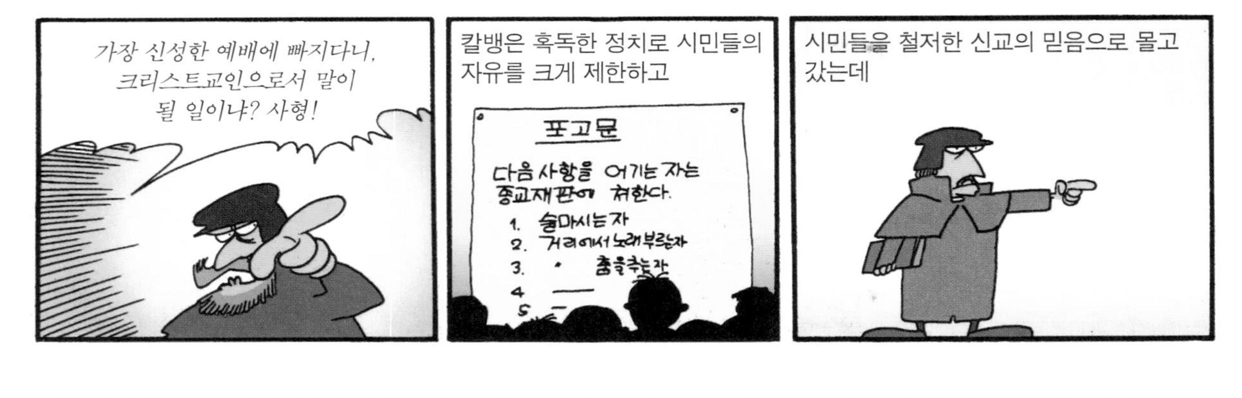
가장 신성한 예배에 빠지다니, 크리스트교인으로서 말이 될 일이냐? 사형!
칼뱅은 혹독한 정치로 시민들의 자유를 크게 제한하고
포고문
다음 사항을 어기는 자는 종교재판에 처한다.
1. 술마시는자
2. 거리에서 노래부르는자
3. 춤을추는자
4.
5.
시민들을 철저한 신교의 믿음으로 몰고 갔는데

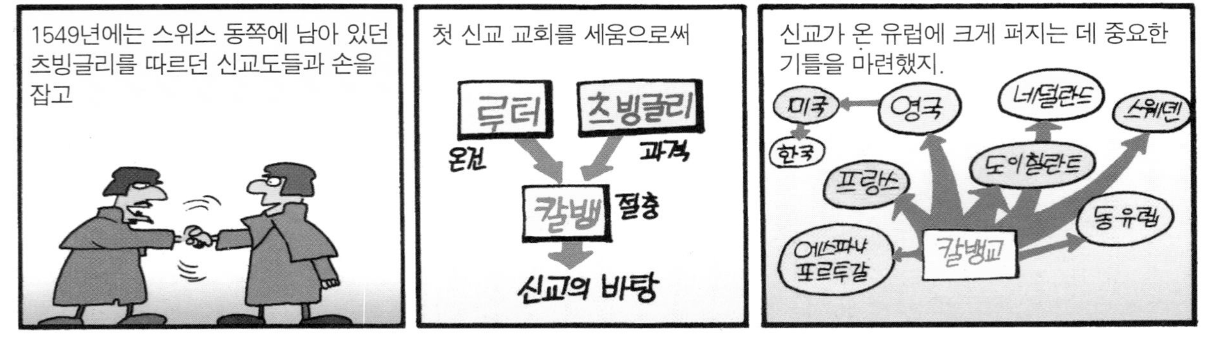
1549년에는 스위스 동쪽에 남아 있던 츠빙글리를 따르던 신교도들과 손을 잡고
첫 신교 교회를 세움으로써
루터
츠빙글리
온건
과격
칼뱅
절충
신교의 바탕
신교가 온 유럽에 크게 퍼지는 데 중요한 기틀을 마련했지.
미국
영국
네덜란드
스웨덴
한국
도이칠란트
프랑스
동유럽
에스파냐 포르투갈
칼뱅교

칼뱅은 독재 권력을 20여 년 동안 휘둘러
한손엔 성경
한손엔 칼
신교의 세력이 온 유럽에 퍼지는 데 결정적인 역할을 하였는데
미국
제네바
그는 종교와 정치뿐 아니라 경제 문제에도 손을 대서
이제 우리는 농업에 기댈 것이 아니라.
공업에 눈을 돌려야 한다! 산투성이 나라에서 농사에만 의지해 사는 것도 미련하고 전쟁에 돈 받고 팔려 나가는 인력을 공업에 흡수한다!
공업개발 5개년계획
칼뱅의 명령으로 제네바 지방에 공장이 세워지기 시작했고,
뚝딱
뚝딱
공사중
관계자외 출입엄금
공업입국
소변금지
그 가운데 섬유 공업과 시계 공업이 크게 발전하여
오늘날까지도 '시계' 하면 '스위스'를 떠올릴 정도로 스위스 시계가 유명해진 것도
아항~ 스위스 시계!
바로 칼뱅의 덕이지.
롤렉스
오메가
라도
스워치
칼뱅을 지도자로 신교의 세력이 크게 자라자
제네바
으쌰 으쌰
가톨릭을 믿는 이웃 주들은
신교 세력이 자기네 주에까지 번질 것을 겁내게 되고
저걸 그냥 두면 미치광이 바람이 언제 우리에게 불어올지 모른다!
스위스 동맹은 칼뱅 지지·반대, 신교·가톨릭으로 나뉘어 온통 떠들썩해졌어.
와글 와글
반대!
찬성!
죽여!

신교의 세력이 확산되는 것을 두려워한 스위스 동맹의 여러 주는
가톨릭 반대! 썩은 교회 물러가라!
가톨릭교를 지키고 칼뱅을 비롯한 신교의 미치광이들을 막으려면
소 잃고 외양간 고치지 말고 미리미리 그들이 비집고 들어올 구멍을 막자!
가톨릭을 믿는 주들끼리 새로 굳게 동맹을 맺게 되는데
가톨릭동맹 꽁꽁 뭉쳐라!
츠빙글리 때와 마찬가지로 스위스 동맹은 크게 둘로 나뉘어
쩍
평야 지대는 신교를
믿습니다. 믿습니다! 그러나 가톨릭은 싫습니다.
산악 지방은 가톨릭교를 지켰어.
믿습니다, 믿습니다. 가톨릭만 좋습니다!
역사와 전통!
재미있는 것은 '아펜첼'이란 작은 주가
아펜첼주
스 위 스
평야 지대는 신교를 산악 지방은 가톨릭을 믿어
신교 신교!
구교, 구교!
아펜첼주
한 개의 주가 둘로 나뉘어
주 (칸톤)
두 개의 반쪽 주가 되어
아펜첼
아펜첼
지금까지도 다른 나라에선 듣지도 보지도 못한 '반(半 : 1/2) 주'가 스위스엔 6개나 버젓이 자리잡고 있는 거야.
암, 암!
같이 살며 늘 서로 으르렁거리느니 반쪽이라도 속 편하게 따로 사는 게 낫지.
아펜첼 반주
아펜첼 반주

스위스 동맹 전체가 신교, 구교로 갈라져
으르렁
서로 으르렁대며
크르렁
자칫하면 스위스 전체가 전쟁에 휘말려
형제끼리 서로 죽고 죽이는 불행한 사태로 번질 기세였는데
스위스뿐 아니라 온 유럽이
신교냐 구교냐의 싸움으로 쑥대밭이었지.
유럽
결국 이 종교 싸움은 도이칠란트에서 큰 전쟁을 일으키고 말았는데
신교 세력
구교 세력
이것이 유럽의 역사를 바꿔놓은 저 유명한 '30년 전쟁'(1618~1648)이었어
이 전쟁으로 도이치 국민 1/3이 죽었음.
이 전쟁이 도이칠란트에서 일어난 데는 그럴 만한 이유가 있었지.
마르틴 루터로부터 비롯된 종교 개혁 운동은 가톨릭을 믿는 온 유럽의 나라들로 번져
종교 개혁
가톨릭을 버리고 신교를 믿는 사람이 크게 늘자
신교
유럽의 여러 나라들은 큰 불안감에 휩싸였어.
저것들 때문에 반드시 무슨 일이 벌어지고 말 거야!

1572년 8월 24일 밤 12시를 기해 전국 모든 교회가 종을 울리는 것을 신호로 파리에서만 3천여 명, 지방에서 2만여 명 등 신교도들을 가톨릭 교도들이 무차별 학살하고

그런가 하면 프랑스와 이웃한 에스파냐에선 루터의 종교 개혁 운동이 시작되기 무섭게
와글 와글
에스파냐
신교의 세력이 우리나라에서 더 번지기 전에
우리 가톨릭교의 잘못을 바로잡는 운동을 벌여 가톨릭교를 더욱 든든히 지켜야 한다!
그 방법은 지금보다 훨씬 더 엄하고 철저한 가톨릭이 되는 것이다!
이것이 '이그나티우스 로욜라'의 주도로 1534년 시작된 '예수회' 운동으로
'Jesuit' 가톨릭교의 정신 재무장!
에스파냐, 포르투갈의 신교도들을 모조리 처형하거나 외국으로 추방,
더욱 엄격한 가톨릭교로 되돌아감으로써
신교
가톨릭
예수회
이 지방의 신교 세력은 전혀 발을 붙이지 못했고, 따라서
에스파냐
신교와 구교의 싸움이 있을 수 없었지.
손바닥도 마주쳐야 소리가 나지, 신교도의 씨를 아예 말려 놓았으니…. 힛힛힛!
지금도 에스파냐가 유럽에서 가장 엄격한 가톨릭 국가로 남아 있는 것도 이 때문이야.
가톨릭 하면 에스파냐죠!
이탈리아 또한 교황이 있는 곳이라
가톨릭교가 깊이 뿌리박힌 곳이었고.
가톨릭교의 본고장에서 딴 짓 할 수 있나요? 체통이 있지.

영국은 철저한 가톨릭 국가였다가
믿씁니다! 교황님~
예쁜 여시종 '앤 불린'에게 새 장가 못 가게 한다고 화난 헨리 8세가
지가 뭔데?
가톨릭 교회에서 떨어져 나와 '성공회'를 선포하면서부터
교황이면 다야? 안 놀아! 우리끼리 놀 거야.
종교 문제로 자기네끼리 두고두고 피 흘리며 싸움박질 했으나
와지끈
신교!
가톨릭!
성공회!
대륙에서는 별로 관심을 갖지 않았지.
스웨덴 같은 북유럽 국가는 아예 신교로 완전히 돌아섰으므로 문제가 없었지만
우리는 루터의 뒤를 따라 신교만 믿겠다!
문제는 바로 도이칠란트였던 거야.
영국 (신·구)
스칸디나비아 (신)
네덜란드 (신)
도이칠란트
프랑스 (구)
(신) 스위스 (구)
에스파냐 (구)
이탈리아 (구)
도이칠란트는 하나의 통일 국가를 이루지 못하고
프랑스왕
여러 개의 크고 작은 주로 나뉘어
도
토리
키
재기
주마다 신교, 구교로 나뉘어 서로 으르렁대던 판에
신교
구교
때마침 신교와 구교 사이에 전쟁이 터지자
쾅
도이칠란트
이웃의 이 나라 저 나라가 마구 끼어들어 온통 쑥대밭이 되어버린 게 바로 30년 전쟁이었어.
프랑스
영국
스웨덴
30년전쟁
네덜란드
에스파냐
오스트리아

* 30년 전쟁 발발의 발단이 된 '프라하 창문 투척사건'

지금 온 유럽 국가들이 도이치 땅에서 전쟁을 하고 있는데
우리가 이대로 신교, 구교로 나뉘어 티격태격하다간
이웃 나라에서 벌어지는 전쟁의 불똥이 당장 우리에게 날아올 거요!
끄덕 끄덕
그건 그래.
전쟁이 바로 우리 코앞에서 벌어지고 있고 전쟁 원인이 바로 신교, 구교 다툼인 만큼
자칫하다간 우리 스위스 땅이
유럽 강대국 세력 다툼의 전쟁터가 되어 온통 쑥대밭이 될 게 분명하오!
그것도 그래.
끄덕 끄덕
그렇소! 우리가 더 이상 신교, 구교로 나뉘어 싸운다면
이웃 강대국들이 서로 돕겠다고 군대를 보내 전쟁을 벌일 것이고 안 보낸다 하더라도 이기기 위해 우리가 도움을 청하게 될 터이니
우리는 마치 고래 싸움에 새우 등 터지는 꼴이 되고 맙니다.
바로 그거야요!
그러나 유럽의 모든 나라가 신교냐, 가톨릭이냐 어느 한 편을 드는데….
우리도 태도를 분명히 하지 않으면 박쥐 취급 받을 게고, 태도를 밝히라는 협박을 받을 겁니다.
좋은 방법이 있소!
딱

이웃 도이치가 전쟁으로 잿더미가 되고, 강대국의 실력 대결장이 되는 걸 보고 우린 많은 걸 느꼈습니다.
여러분!
우리가 누리고 있는 자유와 독립이 어떤 자유와 독립입니까?
우리의 선조들이 피 흘려 외적과 싸워 지키고 우리에게 물려준 고귀한 것 아닙니까?
우리가 서로 싸워 어느 한 편이 이긴다 한들
다른 나라의 도움 없이는 안 되고, 또 이겨도 그들의 대가 요구로 결국 우리는 우리의 자유와 독립을 빼앗기게 됩니다!
우리는 이 고귀한 자유와 독립을 신교냐 구교냐 하는 종교 다툼으로 빼앗길 수 없습니다!
우리는 지금까지 해온 대로 각 주의 자치권을 살려
서로의 종교를 인정하고 더 이상 종교로 다투지 맙시다! 우리가 죽느냐 사느냐의 갈림길입니다!
따라서 우리는 신교, 구교 다툼을 당장 중지하고
이웃 나라에서 벌어지는 전쟁에 대해 어느 편도 들지 않을 것을 선언합시다. 그것만이 우리가 살길입니다.
즉 중립을 선언하는 것입니다!

중립?
여보쇼, 지금 중립이 통할 것 같소?
모든 나라가 신교냐 구교냐로 갈라져 전쟁을 벌이는 판에 우리가 중립임을 내세운다고 될 것 같소?
강대국들이 신교파는 신교파대로 구교파는 구교파대로 당장 군대를 끌고 와 쑥밭을 만들 거요!
말만 가지고는 그대 주장처럼 중립을 지킬 수 없소! 힘으로 중립을 지킵시다!
우리 스위스 동맹군을 신교, 구교 가릴 것 없이 연합, 단결시켜 모조리 국경 수비에 투입합시다!
국경
신·구교 연합군
그렇게 되면 지금 신교와 구교의 전세가 비슷한 형편이라 자기네 전쟁에 바빠
우리와의 전쟁에 군대를 빼돌릴 겨를이 없고, 또 그 누구도 새로운 적을 만들기를 원하지는 않을 거요.
이렇게 해서 스위스는 총력 단결하여 군대를 국경에 보내 지키도록 하였는데
이런 슬기로운 판단으로 스위스는 30년 전쟁에서 교묘히 발을 뺄 수 있었고
30년 전쟁
스위스 역사에서 첫 '중립 국가 선언'을 계기로
중립
'무장 중립'이 스위스의 기본 전통으로 오늘날까지 이어져 내려오게 된 거야.
힘이 없는 곳엔 중립도 평화도 없다!

1648년 지긋지긋한 30년 전쟁이 끝나고
이 전쟁에 참가했던 여러 나라들은
전쟁 뒷처리를 의논하기 위해 한자리에 모이게 되었지.
평화회담장

무장 중립으로 전쟁의 피해를
30년 전쟁
살짝 비켰던 스위스는
이제 때는 왔다!

지금이야말로 우리 스위스의 독립을 세계 만방에 분명히 못 박아놓을 때다!
150여 년간이나 우리 스위스 동맹은 사실상의 독립을 누려왔으나,
아직도 형식적으로는 오스트리아 합스부르크 왕가의 지배 아래 놓여 있어서
합스부르크

오스트리아는 기회만 있으면 사사건건 우리에게 간섭하려 든다!
이제 마침 세계 각국 대표가 한자리에 모이니… 이 기회를 빌려
전후문제토론 참전국회담
영국·프랑스·프러시아·에스파냐·오스트리아·스웨덴·덴마크 …
우리 스위스 동맹이 합스부르크 집안으로부터 영원히 독립함을 인정받아야 한다!

이래서 스위스 동맹은
잘해야 하오!
'바젤' 시 시장인 '베트슈타인'을 특사로 보내게 되었어.
Wettstein
걱정 마!
베트슈타인은 뛰어난 외교 솜씨를 발휘,
우리의 운명이 내 어깨에 걸려 있다….

신교 측 대표들과
속닥 속닥
가톨릭 측 대표들 사이를 오가며
요즘 말로 로비 활동을 활발히 벌였지.
속닥 속닥

물론 그 목적은 '스위스'의 독립.
독립
30년 전쟁이 무승부로 끝나기는 했으나
사실은 영국, 프랑스가 가담한 신교파가 우세한 형편이었고
신교
구교

오스트리아, 에스파냐 등 가톨릭파는 한풀 꺾여 신교파에게 많은 것을 양보할 수밖에 없는 처지였어.
베트슈타인의 활약 덕택에
스위스의 독립 문제가 드디어 회담에 오르게 되었다.
다음은 스위스 지방 문제요!

30년 전쟁의 뒤처리 문제로 열린 평화 회담에 스위스의 독립 문제와 함께
네덜란드의 독립 문제도 올려졌는데
이 두 나라의 형편을 간단히 설명하면 이래.

스위스·네덜란드 지방 모두 원래가 합스부르크 왕가의 영토로서
네덜란드
도이칠란드
합스부르크 왕가 영토
프랑스
스위스
합스부르크 왕가가 둘로 갈라져
한쪽은 오스트리아, 다른 한쪽은 에스파냐의 왕가가 되었는데
에스파냐
오스트리아

네덜란드는 에스파냐가,
에스파냐
네덜란드
스위스는 오스트리아가 맡아 지배하고 있었어.
스위스
오스트리아
이 두 지방은 수십 년에 걸친 끈질긴 투쟁으로 사실상 독립을 유지하고 있었는데

30년 전쟁으로 오스트리아와 에스파냐의 기가 꺾인 기회를 이용하여
지금이야말로
두 지방은 그들의 독립을 영구히 확정지으려 들었고
독립의 기회다!
이것을 합스부르크 왕가와 원수인 프랑스, 영국 등이 밀고 나선 거지.
아무렴 그렇지, 그렇고 말고!

프랑스가 스위스의 독립을 밀고 나선 것은
스위스는 독립시켜야 한다!
스위스를 오스트리아의 영토에서 떼어내서
스위스
오스트리아
우선 오스트리아의 세력을 약하게 만드는 데 목적이 있었지만
피익
오스트리아
더욱 큰 목적은 프랑스가 이탈리아를 드나드는 데 가장 중요한
프랑스
스위스
이탈리아
알프스 산맥의 길을 이용하기 위해서는
스위스를 적인 오스트리아로부터 독립시켜
스위스가 오스트리아 지배를 받으면 알프스의 길을 마음 놓고 다닐 수 없다!
중립 국가로 만들어놓을 필요가 있었던 거야.
도이칠란트
프랑스
스위스 (중립)
오스트리아
이탈리아
옛날부터 크리스트교의 본고장인 이탈리아는
이 탈리아
로 마
유럽 여러 나라의 정신적 중심지였고,
모든 길은 로마로 통한다.
이탈리아에서 세력을 떨치는 나라가 유럽의 지배자로 군림할 수 있었기 때문에
이탈리아
유 럽
유럽의 여러 나라들은 서로 앞다투어 이탈리아에 관심을 가졌고,
따라서 이탈리아로 넘어가는 스위스의 알프스 통로의 확보가 중요할 수밖에….
스위스
북유럽
이탈리아

30년 전쟁 끝의 평화 회담은
오랜 토론 끝에
'베스트팔렌' 조약을 맺게 되었는데
그 중요한 골자는
Westfälisches Abkommen
Friedensvertrag

첫째, 도이칠란트에서 신교파의
종교의 자유를 인정한다.
이로써 신교, 구교
마음대로 믿어도 된다.
둘째, 도이칠란트에서 각 주의 주권을
인정하고 신교파 주의 주권,
외교권을 인정한다.
우리도
주권이 있다!
이로써 도이칠란트는 수십 개의
크고 작은 영주국으로 산산조각 나
삼류 국가로 몰락하지.

셋째, 프랑스, 스웨덴, 프러시아의
영토를 늘린다.
스웨덴
프러시아
프랑스
프랑스와 도이칠란트의 국경
지대인 알자스·로렌 지방을
이때 프랑스가 차지하게 돼.
도이칠란트
로렌
알자스
프랑스
넷째, 네덜란드와 스위스의
독립을 인정한다!

이로써 스위스는 당당한 독립 주권
국가로 국제 무대에 등장하게 되고
그토록 간절히 꿈꾸어오던 그들의
독립 국가를 이룩했던 것인데
독립·자유
정말 오래도록 끈질기게 해온 독립
투쟁이 탐스러운 열매를 맺은 셈이지!

1648년 당당한 독립 국가가 된 스위스!
오스트리아
끈질긴 투쟁 끝에 손에 넣은 자유와 독립….
압박과 설움에서 해방된…
이제 스위스는 그 누구의 간섭도 받지 않는 떳떳한 독립 국가가 된 거야.
야호!
'무장 중립'을 내세워
남의 나라 일에 간섭도 않고
우리 일 아니야!
뚝딱
와지끈
남의 간섭은 무력으로 막겠다는 스위스의 독립은
모든 유럽 나라들이 인정해
스위스 녀석들 싸움엔 도가 텄으니 안 건드리는 게 낫다!
아무런 외적의 침략도 받지 않고 자기 나라 안 일에만 전념할 수 있었다.
저 푸른 알프스에 그림같은 집을짓고
스위스의 독립과 자주는 150년 뒤인 1798년
우리 스위스는 자랑스럽게도…
스위스 역사에서 처음으로 무참히 깨어지는데
꽝
그들의 자랑스러운 역사를 단숨에 깨뜨린 장본인…
그는 다름 아닌 보나파르트 나폴레옹이었지!

1789년에 터진 프랑스 대혁명.
이 혁명은 온 유럽에 새로운 태풍을 몰고 와
자유 평등 박애
백성을 억압하는 왕과 귀족을 쫓아내고
혁명

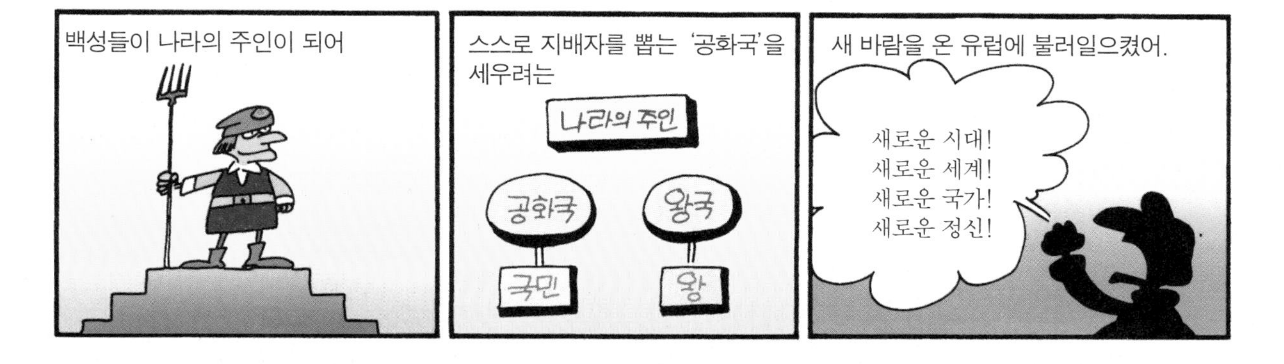
백성들이 나라의 주인이 되어
스스로 지배자를 뽑는 '공화국'을 세우려는
나라의 주인
공화국
왕국
국민
왕
새 바람을 온 유럽에 불러일으켰어.
새로운 시대!
새로운 세계!
새로운 국가!
새로운 정신!

'자유, 평등, 박애' 정신을 혁명의 기치로 높이 든 프랑스는
왕과 귀족에게 지배받는 온 세계의 백성들을 해방시키는 것이 우리들의 사명이다.
프랑스뿐 아니라 세계 만방에 자유, 평등, 박애의 정신을 심으리라!

따라서 우리는 이 사명을 이루기 위하여 성스러운 혁명 전쟁을 수행할 것이다!
'왕을 몰아내자'는 프랑스 혁명의 물결을 이웃 나라 왕들은 두려워할 수밖에 없었고
저… 저런 발칙한…
프랑스는 온 유럽을 상대로 '혁명 전쟁'을 치르게 되었다.

혁명 이념에 불타던 프랑스는
인간은 평등하다! 따라서 왕은 섬길 수 없다!
온 유럽을 상대로 전쟁을 치르는데
왕권은 신성하다! 따라서 왕은 군림한다!
프랑스로서는 정말 외로운 투쟁이었어.
영국
오스트리아
에스파냐
러시아
프로이센
프랑스
그러나 머릿수로는 비교가 되지 않는 프랑스가 뜻밖에도
연합군의 대군을 크게 무찌르고 승리에 승리를 거듭하는데
이는 정규 군대도 아닌 프랑스 의용군의 하늘을 찌를 듯한 사기가 큰 원인이었지.
우리는 자랑스러운 혁명의 용사!
어두운 압제와 착취의 시대를 닫고 자유, 평등, 박애의 새 시대를 여는 새 기수!
우리 평민의 밝고 힘찬 내일을 우리 스스로의 손으로 싸워 건설하리라!
먼 훗날 우리 자손은 우리들의 영웅적인 투쟁과 죽음을 자랑스럽게 말하게 되리라!
여기에 비해 연합군의 사기는….
우리는 싸워봤자다. 이겨봤자 왕만 좋아할 테고
목숨 바쳐 왕을 지켜줘봤자 남는 건 지배와 명령뿐… 이기나 지나 남 좋은 일이야….
이렇게 해서 싸움이란 싸움은 프랑스 혁명군의 승리로 돌아간다.
혁명군이 가는길엔 승리뿐이다!

온 유럽이 프랑스 혁명군과의
전쟁에 말려드는데
꽈르릉
쿵 쾅
스위스는 역시 '무장 중립'을
지키고 있었다.
중립
처음엔 프랑스도 스위스의 중립을
인정했으나
암, 스위스야
30년 전쟁 때부터
중립이었지.
'자유, 평등, 박애'의 프랑스 혁명
정신이 스위스에도 퍼지기
시작하면서
문제는 달라져.
그렇다!
우리 스위스도 프랑스와 같은
새 시대를 맞아야 한다!
왕, 귀족 또는 고귀한 피를 가진 자만이
권력 잡고 지배하는 시대는 지났다!
이제 민중의 시대가 왔다!
그러나 스위스의 지배자들은
그게 무슨
소리야?
혁명 분자들을
모조리
때려잡아라!
스위스 안에서 혁명 세력에 대한 무자비한
탄압이 시작되자
프랑스가 그냥 보고 있을 리 없었지.
스위스가 아무리
중립이라 하나
혁명 동지들을 탄압하는 것은
그냥 두고 볼 수 없다!
우리와 뜻을 같이하는 자는 어느
나라건 가릴 것 없이 우리의 형제다!
이들을 돕는 것이 바로 혁명 정신인
'박애(또는 형제애 : Fraternité)'다!

스위스의 지배층이 혁명 세력에 대한 탄압을 시작하자
혁명 세력은 프랑스에 원조를 요청했고
형님!
프랑스는
박해받는 동지들을 보고 있을 수만은 없다!
스위스로 진격!
이렇게 해서 스위스와 프랑스의 전쟁이 터지게 되었다.
쾅
국민이 두 패로 갈라진 나라는 국력도 갈라져 힘이 없어지게 마련이라
혁명이다!
안된다!
프랑스 군대는 석 달 만에 스위스의 저항을 깨뜨리고
이 나라를 점령하고 말았는데
독립한 지 150년 만에, 그리고 스위스 동맹이 생긴 후 처음으로 온 나라가 적에게 점령당한 수치를 당한 거지.
프랑스는 스위스를 점령한 이유를 그럴듯하게 대지만
자유, 평등, 박애 정신을 세계 만방에 심으리!
속셈은 다른 데 있었던 거야!
알프스 산맥을 넘나드는 통로를 손아귀에 넣자!
이것이 이탈리아를 지배하는 열쇠며 적 오스트리아의 목을 죄는 길이다!
도이칠란트
프랑스
오스트리아
스위스
이탈리아

스위스를 점령한 프랑스는
이제 이 땅에 새로운 세계의 막을 여노라!
지금까지 여러 개의 주로 갈라져 귀족들이 다스리던 스위스 동맹을 깨뜨리고
바젤
아르가우
쥐라
베른
루체른
프리부르
모든 국민이 자유롭고 평등한 권리를 갖고 하나의 통일된 나라를 만드니, 이 나라는 몇몇 특권층을 위한 나라가 아닌 국민에 의한, 국민을 위한, 국민의 나라가 되리라!
그대들의 손으로 뽑은 대표가 정권을 잡아 그대들의 뜻에 따라 나라를 이끌어 나가리라!
이 새로운 평등과 자유의 나라를
부스럭
부스럭
'헬베티아 공화국'이라 하리라!
République
Hévétique
이로써 스위스 동맹은 1273년 맺어진 뒤 5백여 년 만에 깨어지고 1798년 '헬베티아 공화국'이 태어났는데,
헬베티아 공화국
스위스 동맹
혁명 세력에 의해 세워진 이 공화국은
혁명
나라의 제도 전체를 온통 뒤집어 엎고 큰 개혁을 단행했다.
근본부터 뜯어고쳐야 한다!
그 가운데 가장 중요한 것이 각 주의 주권을 모두 박탈하고
각 주는 이제부터
나라의 권력을 정부에 모두 맡기는
정부의 지시만 따라야 한다!
정부
중앙 집권 제도로 바꾼 것이었다.
중앙정부
대통령 또는 수상
장 관
주지사
주지사
주지사

헬베티아 공화국은 프랑스의 요구에
따라 혁명 과업을 수행하는데
프랑스

이제 이 나라는 신분이 높고 낮음을
없애 모든 국민은 평등하고
귀족
평민

누구나 자유롭게 정치에 참여할
권리를 갖는다!
지도자를 뽑을 권리
지도자로 뽑힐권리

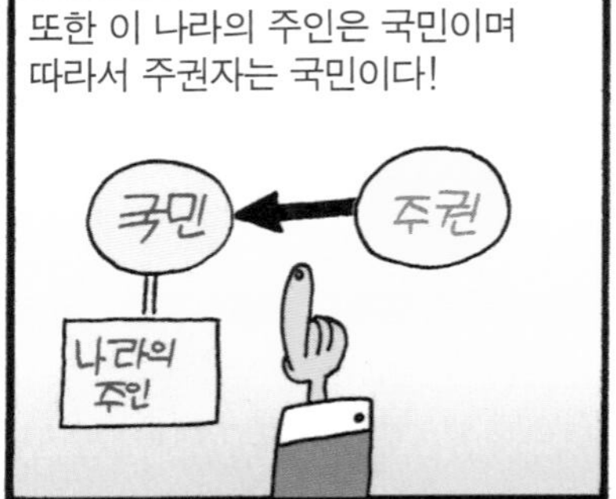
또한 이 나라의 주인은 국민이며
따라서 주권자는 국민이다!
국민
주권
나라의 주인

각 주에 주권이 분산된 지방
자치 제도에서
각주
정부
다스리는 권리
법만드는 권리
재판하는 권리

권력이 정부에 모두 넘겨지는 강력한
중앙 집권 체제를 이룩하기 위한 개혁이
차근차근 시행되었는데

우선 규모가 큰 주의 세력을 빼앗기
위해서
우선 덩치부터 줄여야 힘을 못 쓴다!
큰 주는 여러 개의 작은 주로 나누고
작은 주는 몇 개씩 합쳐 그 크기를
비슷비슷하게 만들며
A
E
B
D
C

정치에 간섭하는 교회의 세력을 막기
위해
교회만이 갖는 특권을 모조리
없애버렸으며
정부 관리가 각 주를 다스림으로써 모든
권력은 정부가 쥐게 되었다.
모든 국민은 정부의 결정을 따르라!

헬베티아 공화국 정부는 스위스를
각 주 중심의 지방 자치 제도에서
하나의 통일된 나라로 묶기 위해서
각 주마다 제멋대로 만들어
쓰는 돈과 우표를 폐지하고
10파운드
5마르크
5탈러
10굴덴
스위스 모든 지방에서 쓰이는 돈과 우편
제도로 통일한다!
화폐·우표
통일법
또한 무리를 이루어 세력을 만들어
정부에 대들기를 일삼는 강제적인
일체의 조합을 금지하노라!
XX주
식당조합
조합은 만들어도 좋으나 강제로 회원이
되지 않아도 된다!
히히히…
조합비 안 내도
되겠구나!
망했다!
그리고 지금까지 강제로 교회에
바쳤던 교회세를 폐지한다!
그럼 우리는 뭘 먹고 사누?
믿음 깊은 신도가 스스로 바치는
기부금으로 버티시오!
모든 국민이 그들의 권리를 지키도록
어떤 죄를 짓더라도 고문을 금지하며
모든 국민은 교육의 의무를 진다!
학교
짧은 동안에 엄청난 변화를 몰고 온
셈이야.

그러나 이런 갑작스러운 변화가 큰 반항을 불러일으킨 것은 당연했지.
잘들논다!
두고 보자 하니까 해도 너무한다!
우리는 천 년 가까운 세월을 우리 주 안에서 우리 하고 싶은 대로 하며 살아왔는데
이제 갑자기 중앙 정부를 세우고 관리를 내보내 우리더러 이래라저래라 해?
우린 못해! 죽어도 못해!
우리 주의 독립과 자유를 되찾자!
그리하여 중앙 정부에 맞서서
야, 이 프랑스의 꼭두각시들아!
주의 권리와 자유를 되찾기 위한 폭동이 여기저기서 터졌고
자유
권리
자치
특히 오랫동안 남의 간섭 안 받고 살아온 알프스 산악 지방의 반항이 격심했다.
우리 산사람들 성나면 무서운 줄 알지?
다급해진 헬베티아 공화국 정부는
어… 어… 저것들이.
와
와
프랑스에 도움을 청하기에 이르렀어.
형님, 좀 도와주슈!
뭐야? 알프스의 산적떼들이 또 말썽이야?

스위스 정부의 도움 요청을 받고 달려온 프랑스 군대는
단숨에 폭동 세력을 무찔러버렸는데
이것을 이웃 오스트리아가 그냥 두지 않았다.
저…저것들이…
우리 옆 동네인 스위스에서 프랑스 군대가 설친다는 것은
우리 대문 바로 앞에서 적이 설치는 셈이니 다리 뻗고 잠을 잘 수가 없다!
오스트리아
스위스
이탈리아
더구나 프랑스 군대에 짓밟힌 알프스 산악 지대의 주들은
츠빙글리에 맞서 우리와 손잡고 싸우던 둘도 없는 가톨릭의 동지들이 아닌가?
그러나 워낙 강대한 프랑스 군대인지라
뭘봐?
오스트리아는 러시아와 손잡고
스위스에서 프랑스를 몰아내기 위해 총진격했는데
이를 막기 위한 프랑스 군대와
취리히에서 1799년 맞닥뜨리게 되었어!
오·러 연합군
취리히

세상에 둘도 없는 앙숙 프랑스와
오스트리아는
스위스의 취리히에서
두 번에 걸친 대격전을 벌였는데
취리히
오스트리아·러시아 연합군은
프랑스 군대에게 크게 패하고
말았지.
스위스를 둘러싼 이웃 강대국들의 전쟁으로
프랑스
오스트리아
러시아
스위스
스위스는 역사상 처음으로 남의 나라끼리의
싸움터가 되는 비극을 겪는데
고래 싸움에
새우 등 터진 셈.
오랜 역사를 자랑하던 아름다운
도시 취리히는
잿더미로 변해버리고 말았어.
오스트리아를 꺾은 프랑스는
스위스
이제 마음 놓고 스위스에 간섭할 수
있게 되었고
헤헷헷
스위스
스위스 정부를 꼭두각시로 만들어 자기
멋대로 스위스 일에 끼어들었지.
이래라
저래라!

프랑스는 계속 혁명 정신을 내걸고
자유, 평등, 박애의 나라에서는 국민이 주인이어야 하며
스위스 공화국의 중앙 집권 제도를 밀고 나갔는데
국민이 세운 중앙 정부가 나라를 다스려야 한다!
이에 못지않게 옛날로 돌아가자는 반대 세력의 저항도 드셌다.
아니다, 아니다! 우리 주는 남의 간섭 안 받고 우리끼리 살겠다!

한편으로는 프랑스 편을 들어 중앙 집권을 고집하는 세력도 만만치 않아서
아니다, 아니다! 프랑스 말이 맞다!
나라의 의견은 크게 둘로 갈라져
그르다!
맞다!
같은 의견을 가진 사람끼리 뜻을 모아 행동을 벌였으니
내말이 옳다고 생각하는 사람 요리 요리 모여라~
와

이것이 바로 스위스 첫 정당의 탄생이었던 거야.
큰나라당
민초당
○○당
하나는 통일당,
단일 중앙 정부.
지방 자치 폐지.
스위스 통일당
또 하나는 연맹당으로
지방 자치 찬성.
옛날처럼 우리 주에 우리 주권을!
스위스 연맹당

온 국민은 두 당으로 갈라져
통일당
연맹당
폭동, 데모, 난동이 계속되어
와
와
우리 권리 돌려 달라!
지방자치
스위스의 나라 사정은 걷잡을 수 없이 어지러운 소용돌이에 휩쓸려 버렸어.
와
와
스위스 역사에서 가장 혼란했던 때의 하나….

통일당과
연맹당을 부숴라!
연맹당으로 갈라진 스위스는
통일당을 없애자!
하루도 조용할 날이 없을 정도로 시끄러웠고
아고고!
으악!
와당탕 퉁탕
4년 동안 다섯 번의 큰 내전과
꽝
한국전쟁과 비슷한 전쟁.
꽝
셀 수 없을 정도로 피 흘리는 싸움이 벌어지자
드디어
스톱!
스위스의 사실상 지배자나 다름없었던 나폴레옹이 끼어들었다.
내 가만히 스위스를 두고 바라본 결과 이젠 내가 나설 때가 된 것 같다.
통일당 대표와 연맹당 대표는 내게로 오라!
그리하여 나폴레옹의 중재로
나폴레옹
통일당
연맹당
지금까지 싸움의 불씨가 되었던 점을 고쳐서
씩
씩
양쪽 모두 만족할 만한 헌법을 만듭시다.
씩씩

연맹당 대표!
예.
스위스는 너무 오랫동안 작은 주로 독립해 살아서
서울서 시키는 대로 살기엔 너무 개성이 강해요.
하모요!
그러니 각 주는 지금까지 누려왔던 자유, 독립, 권리를 되찾아야겠지요?
지당하신 말씀!
그러나 스위스가 다시 여러 주로 찢어져 제멋대로 산다면
단결이 힘들어 외적을 막거나 큰일은 하기 어렵겠지요?
…그건 그래요….
그러니 각 주는 주의 일을 자유로이 해나갈 권리는 도로 가지되…
다른 나라와의 외교라든가 나라를 지키는 군대를 관리하는 일 따위는
서울에 중앙 정부를 두어, 그 정부에게 맡기도록 함이 어떻소?
조… 좋겠지요!
이래서 1803년 스위스엔 나폴레옹의 중재로 새로운 헌법이 탄생하는데
스위스헌법
감수: 나폴레옹
오랜 지방 자치에 익숙한 스위스의 특징을 꿰뚫어 본 나폴레옹의 뛰어난 판단력의 결과였지.

나폴레옹의 주선으로 스위스는
옛 지방 자치 제도와 중앙 집권 제도를 적절하게 섞어서 새 정부를 만들었는데
중앙 집권제
지방 자치제
새 정부
각 주는 자기의 일을 스스로 해결할 권리를 도로 갖는다.
이젠 서울 눈치 안 봐도 돼.
온 스위스가 통일하여 쓰던 화폐와 우표는 다시 각 주가 따로 만들어 쓰고
우리 주의 돈은 '굴덴'!
우리 주는 '프랑'!
특히 세금을 거둬들일 권리, 재판의 권리를 도로 갖는다!
징역 10년!
그러나…
다른 나라와의 외교,
그리고 나라를 지키는 군대의 지휘는 중앙 정부가 한다!
스위스의 각 주는 나라를 지키기 위해 군대를 보내
중앙 정부
군
대
바젤
베른
제네바
취리히
우리
슈비츠

1만 5천 명의 군대를 만들었는데
PATRIE
SUISSE
말이 좋아 스위스 군대지
스위스의 지배자나 다름없었던 나폴레옹의 군대나 마찬가지였지.
내가 노린 게 바로 요거야!

이때의 나폴레옹은 그 세력이 절정에 올라
유럽 대륙의 지배자였고
떵 떵
1804년에 '나폴레옹 1세' 황제로 등극하였다.
NAPOLEON I
연합군을 차례로 무찔러버리고
프러시아
오스트리아
러시아
나폴레옹은 나는 새도 떨어뜨릴 만큼 위세가 대단하였으니
떨어져라!
스위스도 말만 독립국이지 사실상 프랑스의 속국이나 다름없었어.
좋아하네!
독립
영국만이 외롭게 나폴레옹과 대결
싸움을 계속하고 있었는데
나폴레옹은 영국을 꺾기 위해 대함대로 침공하였으나
총출동!
넬슨 제독이 지휘하는 영국 해군은
각자 맡은 바 임무를 다하라!
서양의 한산도 대첩이라 할 수 있는 트라팔가르 해전에서 프랑스 해군을 무찌르니
나폴레옹은 전략을 바꾸게 되었다.
흥, 누가 이기나 두고 보자!

영국은 섬나라요. 섬나라는 혼자서 살 수 없다.
그러니 영국을 군대로 무찌를 수 없다면
외톨이로 따돌려버리면 스스로 무릎을 꿇을 것이다!
이제부터 유럽 대륙의 어떤 나라도 영국과 무역하거나 왕래하는 것을 금한다!
영국으로 건너가는 어떤 배라도 무조건 부수어버려라!
영국의 물건을 일체 사지 않고, 영국이 필요한 물건을 팔지 않으면 영국은 견디다 못해 항복할 것이다.
이것이 유명한 '대륙 봉쇄령'으로
영국
대륙에 빗장을 걸고 영국과의 모든 관계를 끊어버린 거야.
안 놀아!
대륙
이 명령으로 프랑스 해군은 유럽 대륙의 배들이 영국에 가는 것을 막아버려
영국
대륙
영국은 모든 무역이 끊어지고 물자가 모자라 큰 혼란에 빠졌지만
원료가 모자란다!
식량도 문제다!
영국에 물건을 팔던 유럽 나라들도 큰 고통을 받게 되는데
영국을 통한 수출 길이 막혔다!
원료도 떨어졌다!
마치 쥐 한 마리 굶겨 죽이기 위해 대문을 걸어 잠근 셈이었어.

쥐 한 마리 굶겨 죽이려고 대문을 걸어 잠그면
쥐도 괴롭지만
춥고 배고파요!
더 괴로운 건 집 안에 사는 사람들이야.
연탄 사올게요.
안 돼! 나가지 마!
쌀 떨어졌어요!

마찬가지로 나폴레옹의 대륙 봉쇄령으로 고통을 당하는 것은
영국
대륙
영국과 교역을 하던 나라들로
웬일이니?
큰일 났다!
망했다!
영국은 이 나라들이 만든 물건을 사서 세계에다 팔아주었기 때문에
대륙국가
상품
원료
영국
상품
원료
세계식민지

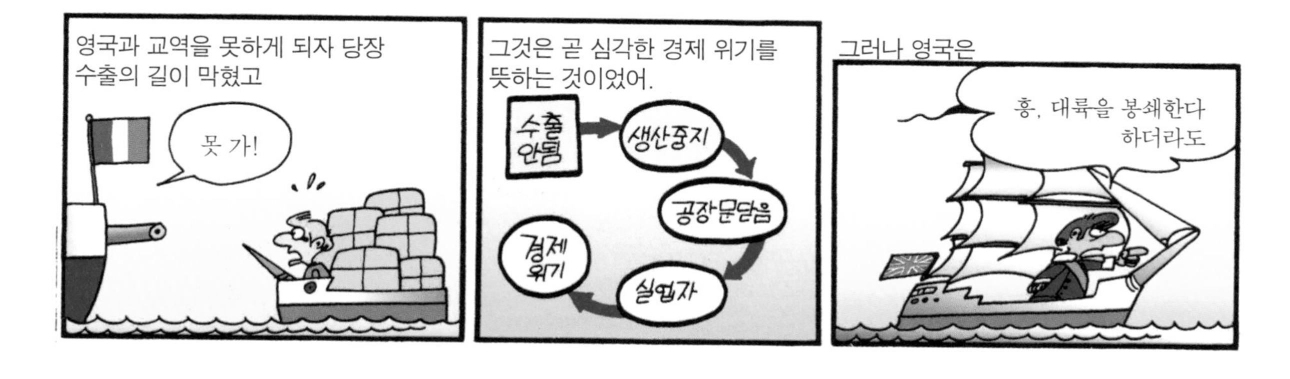
영국과 교역을 못하게 되자 당장 수출의 길이 막혔고
못 가!
그것은 곧 심각한 경제 위기를 뜻하는 것이었어.
수출 안됨
생산중지
공장문닫음
실업자
경제 위기
그러나 영국은
흥, 대륙을 봉쇄한다 하더라도

정말 급하고 필요한 건 아메리카나 동양 식민지에서 가져다 쓰면 돼.
우리가 세계와 무역하는 것까지 막을 수는 없겠지.
그러니 나폴레옹은 대륙의 나라들만 꽁꽁 묶어 놓은 셈이야.
대륙봉쇄령

나폴레옹의 대륙 봉쇄령으로
영국과는 무역은 물론 모든 왕래를 금한다!
큰 손해를 입은 나라 가운데
망했다!
나는 어떡하라고….
대륙
러시아와 스위스도 끼어 있었다.
러시아는 면화, 곡식 등을 영국에 내다 팔아서 나라 살림에 큰 보탬이 됐고
곡식
러시아
스위스는 영국에 양털 또는 짠 옷감을 수출하고 면화를 수입했는데,
스위스
면화 원료
의류·시계
영국
공산품
면화·원료
식민지
스위스에서 가장 큰 공업인 방직 공업이 영국과의 거래가 끊겨 큰 타격을 받자
우리나라에서 가장 중요한 산업인데….
스위스의 나라 살림이 흔들흔들 하게 되었어.
나라의 수입이 크게 줄었다!
몇 번씩이나 호소를 해도 소용없자
제발 영국에 장사 좀 하게 해주십쇼!
안 돼!
차츰 나폴레옹과 프랑스에 대한 반감이 크게 치솟기 시작했지.
투덜 투덜 투덜 투덜
러시아는 스위스보다 형편이 더 심각해
우리나라, 영국과 장사 안 하면 망한다!
나폴레옹의 명령을 어기고
영국과 몰래 장사를 하기 시작했다.
밀수라도 할 수 없다!

격노한 나폴레옹은
무시기 라고?
러시아가 내 명을 어기고 영국과 장사를 해? 이런 고얀 놈들이 있나?
쾅
쾅
나폴레옹은 몇 차례나 러시아를 윽박지르고 구슬리고 두들겨주고 하였으나
예쁘지? 깍꿍!
너 죽고 싶어?
말 좀 들어!
빡!
요녀석!
딱
러시아와 영국의 무역이 계속되자
좋다!
내 명령에 따르지 않으면 어떻게 된다는 것을 똑똑히 보여주리라!
1812년 나폴레옹은 군사를 일으켜 러시아 정벌에 나섰다.
그러나 러시아의 혹독하게 추운 겨울을 모르던 프랑스 대군은
러시아에 대패하고
군사의 대부분이 굶어 죽고 얼어 죽는 비참한 운명에 처하는데
스위스 군대 1만 5천 명 가운데 절반인 7천 명이 나폴레옹 군대로
스위스 연대
러시아 정벌에 끌려갔으나
겨우 7백 명만 살아 돌아온 뼈아픈 역사를 지니고 있어.

러시아에서 나폴레옹 대군이 참패하자
유럽의 정세는 뒤바뀌기 시작하여 차츰 나폴레옹에게 불리해졌어.
빵
빵

크게 한풀 꺾인 나폴레옹에게
결정타를 안기기 위해
영국-러시아-오스트리아-프러시아-스웨덴은
영국
러시아
오스트리아
프러시아
스웨덴
다시금 동맹을 맺고 군사를
일으키니
이것을 제3차
대프(프랑스) 동맹이라
하죠.

1813년 6월 라이프치히.
LEIPZIG
라이프치히
이곳에서 프랑스 대군과 연합군 대군이
최후의 승패를 걸고 한판 겨루게 돼.
유럽의 운명이
걸린 일전이다!

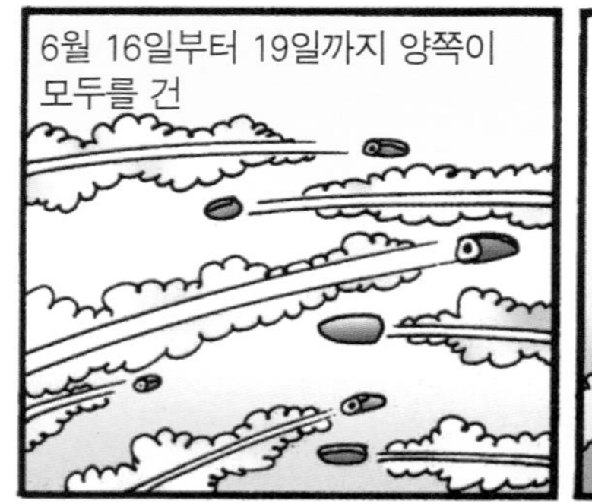
6월 16일부터 19일까지 양쪽이
모두를 건

나흘간의 대접전은

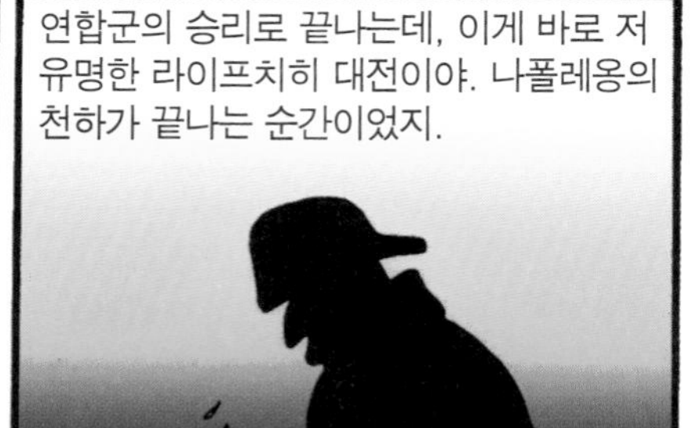
연합군의 승리로 끝나는데, 이게 바로 저
유명한 라이프치히 대전이야. 나폴레옹의
천하가 끝나는 순간이었지.

라이프히치 전투에서 진 나폴레옹은 쓸쓸히 파리로 돌아왔고
이젠 아무도 전쟁에 진 영웅을 반갑게 맞아주지 않았어.
파리
연합군은 진격에 진격을 계속
파리
프랑스를 궁지에 몰아넣었다.
이 기회를 놓칠 스위스인가?
왔다, 드디어 기회가 …!
지금 나폴레옹은 털 뽑힌 병아리 꼴이다!
지금이야말로 나폴레옹에게 짓밟힌 우리의 독립과 자유를 되찾을 때다.
스위스는 이웃나라들이 프랑스와의 전쟁에 정신이 없는 틈을 타
와당탕
퉁탕
오등은 자에 아 스위스가 자유, 독립국임을 고하노라!
파리
자유고 독립이고 시꺼!
시끄러워도 좋다!
우리 스위스는 중립임을 선언하노라!
이그~ 저 중립 타령! 미꾸라지처럼 남들 정신없을 때 꼭 저렇게 중립 어쩌고 하며 쏙쏙 빠져나가더라….

중립을 선언한 스위스는
우리는 중립이다!
중립도 그냥 중립이냐?
아니지!
총칼로 우리의 중립을 지키는
무장 중립이여~ 알간?

스위스는 급히 새로 훈련시킨 2만 명의 군대를 국경에 배치하고
외국군대출입금지
스위스의 자유와 독립을 지키려 했어.
헤헤헤… 1648년 30년 전쟁이 끝나갈 때 써먹은 수법이지.
그러나 이번에 그게 통하지 않은 것이…
좋아하네!

십여 년간 프랑스의 간섭을 받는 동안
많은 사람들이 프랑스를 지지하여 스위스 안에서 세력을 잡은 대신
이래라 저래라!
이래라 저래랍신다.
여기에 불만을 품고 있던 사람들이
프랑스의 앞잡이들….

세상이 뒤바뀌어 프랑스 세력이 물러나자
잘 있거라 나는 간다.
전쟁에 이긴 연합군 편을 들고 나서
이젠 너도 물러가!
스위스의 세력을 잡으려고 했던 거야.
너희들 때문에 엉망이 된 나라를 바로잡아야겠다!

그래서 스위스가 중립을 선언했음에도
우리는 중립이래요!
연합군은 스위스로 진격해
스위스를 그냥 둬선 안 된다!
연합군
프랑스 혁명 세력과 나폴레옹의 영향으로 스위스 사람들의 머릿속엔 못된 혁명 정신이란 괴물이 춤추고 있다!
이 괴물을 싹싹 쓸어내야 한다!
프랑스의 간섭을 못마땅하게 여기던 스위스 사람들은
아무렴, 그렇지, 그렇고말고….
어서 우리나라에 들어와 프랑스에 빌붙던 이른바 혁명 세력이란 것을 몰아내주시오!
알았쪄
이래서 비록 스위스가 2만 명의 군대를 국경에 배치시키고 중립을 선언하였으나
중립
국경
이들 가운데 일부는 싸우지도 않고
싸워서 뭐해? 이 기회에 연합군 편에 서서 권력을 잡아야지.
길을 열어 연합군을 맞아들임으로써
연합군 웰컴
연합군은 아무런 싸움도 치르지 않고
순식간에 스위스 전국을 점령,
연합군
새로운 지배자로 군림하게 되었지.
이래저래 작은나라는 팔자 사나워…

스위스에 연합군이 들어옴으로써
짠~
스위스는 새로운 역사의 운명을 맞이하는데
환영
연합군 가운데 가장 큰 세력은 역시 오스트리아와 러시아로서
이 두 나라는 프랑스를 상대로 오랫동안 같이 싸워왔어도
영국
오스트리아
러시아
프랑스
프러시아
서로 그 꿍꿍이속이 달랐다.
오스트리아는
이제 우리의 세력을 한껏 떨치기 위해서는 이웃나라를 꽉 눌러놔야 해!
더욱이 두고두고 우리와 맞먹으려 드는 스위스는 기를 아주 꺾어놔서 우리 앞에서 늘 고분고분하게 만들어야 하고
스위스
오스트리아
이탈리아
그러려면 스위스를 여러 갈래로 찢어서 약한 작은 나라로 만들어야 해.
그러나 러시아는
흥, 누구 멋대로…?
오스트리아의 세력이 커지면 나폴레옹 때처럼 또 잘난 척하려고 들걸!
그걸 막으려면 바로 옆 나라를 크게 키워놔야 하는데, 그게 바로 스위스야.
스위스를 지금보다 더 크게 만들어 오스트리아를 슬며시 누르도록 만들자!

유럽을 지배하던 나폴레옹이 물러가고
엘바섬
대륙에서 세력을 떨치던 프랑스가 움츠러들자
지금까지 프랑스 눈치 보느라 끽소리 못하던 유럽의 여러 나라들은
프랑스가 정말 진 거냐?

때를 만난 듯 한꺼번에 자주, 독립을 들고일어났어.
우리에게도 자주와독립을 다우~!
더구나 프랑스가 지배하는 동안
프랑스
유럽 구석구석에 프랑스 혁명 정신을 퍼뜨렸기 때문에
자유
혁명 정신
평등
박애
유럽

세상이 바뀌자 유럽의 여러 나라들은
힛힛… 평등, 자유 좋아하네!
혁명 세력을 쓸어내고 왕과 귀족이 다스리던 옛 틀을 되찾으려 했고,
인간은 타고난 계급에 따라 신분이 다르고 평등하지 않다!
이에 혁명 세력이 크게 맞서고 나서니
웃기지 마라! 인간은 평등하고 나라의 주인은 국민이다!

나폴레옹이 물러간 유럽은 정신 차릴 수 없는 수라장이 되어버렸지.
와지끈
평등
까불지 마!
뚝딱
유럽
이런저런 문제들을 해결하기 위해 프랑스와 싸워 이긴 승전 국가들이 한자리에 모였는데,
나폴레옹이 벌여놓은 일을 뒷정리하세!
이것이 바로 1814~1815년의 '빈' 회의였어.
빈 회담
WIEN
전쟁뒷처리를 위한 승전국의 먹자판회담
모두모두 모여라!
디스코·댄스파티 있음

빈 회의에 참가한 여러 나라들은
죽어도 우리는 이 땅을 양보 못해요!
누가 할 소리.
자기 나라에 조금이라도 더 이익이 되도록 자기 주장만 내세웠기 때문에
누가 뭐래도 여긴 우리 차지야!
글쎄, 당신넨 빠지라니까….
회의는 별 진전 없이 뱅뱅 제자리 걸음이었지.
조용히! 어디 처음부터 얘길 다시 시작합시다!
나라마다 서로 자기네 이익을 앞세워 양보 없이 다투기만 하던 문제에
찌그락
짜그락
역시 스위스 문제도 끼어 있었어.
이 회의의 주인공 격인 오스트리아는
이 기회에 이웃 스위스를 꺾어놔야 해.
그래야 우리가 이 동네 왕초 노릇하지….
스위스의 영토를 크게 줄여버리고 작은 꼬마 주들로 쫙 갈라버립시다.
그러나 다른 여러 나라들은
안돼! 누구 좋으라고…
그 가운데 러시아는 더욱 반대가 심했지.
우리는 오스트리아 세력이 커지는 것을 원치 않소!
그러려면 오히려 스위스를 키워 오스트리아 옆에서 감시하는 파수꾼으로 만들어야 하오!
옳소!
쳇, 동지들도 자기네 이익 앞에선 정말 별 볼일 없군….

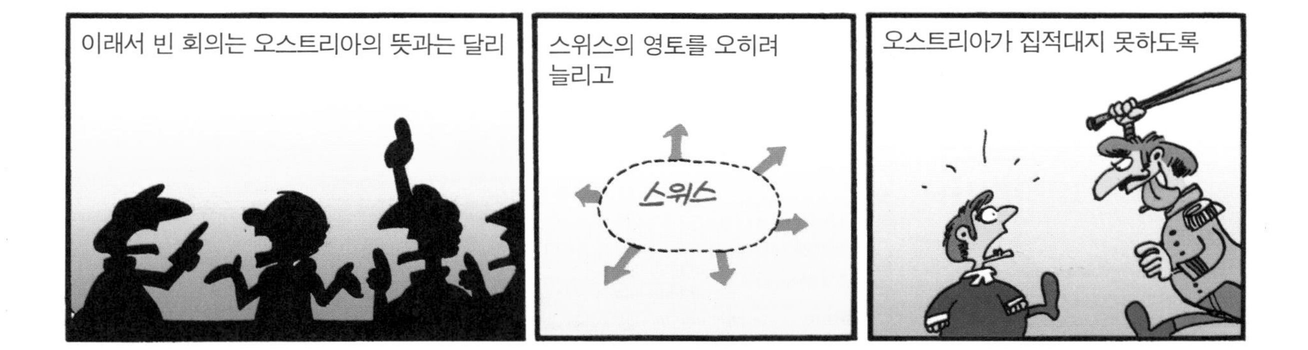
이래서 빈 회의는 오스트리아의 뜻과는 달리
스위스의 영토를 오히려 늘리고
스위스
오스트리아가 집적대지 못하도록

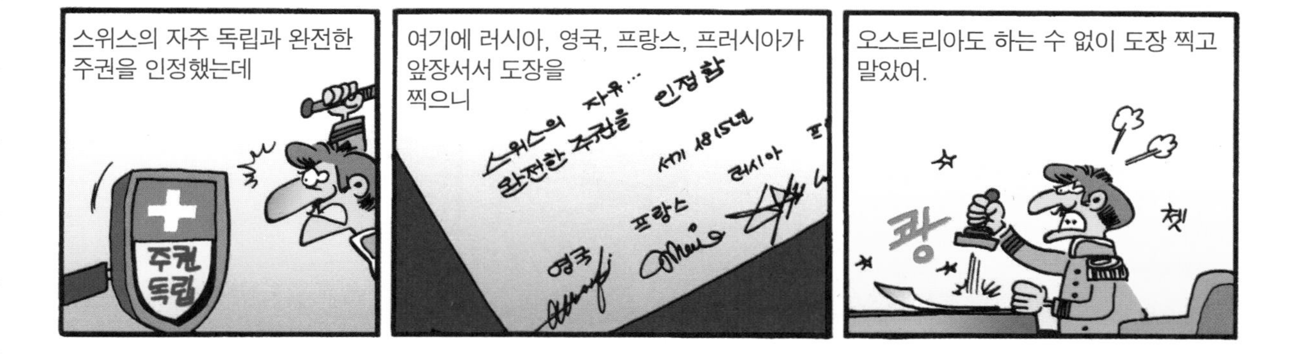
스위스의 자주 독립과 완전한 주권을 인정했는데
주권 독립
여기에 러시아, 영국, 프랑스, 프러시아가 앞장서서 도장을 찍으니
스위스의 자유… 완전한 주권을 인정함
서기 1815년
러시아
프랑스
영국
오스트리아도 하는 수 없이 도장 찍고 말았어.
쾅
칫

뒤이어 에스파냐, 스웨덴까지 도장을 찍음으로써
쾅
쾅
스위스는 모든 유럽의 강대국으로부터 자주 독립을 인정받고
주권을 가진 독립 국가임을 다시 한 번 확인한 셈이야.
독립
주권

남의 간섭에서 완전히 벗어난 스위스는
이제 나라 안의 문제로 골머리를 앓게 되는데
시끌
벅적
바로 프랑스의 영향을 받은 혁명파와 옛날로 돌아가려는 세력이 맞닥뜨린 거야.
과거
혁명

그러나 때는 바야흐로
혁명 프랑스를 온 유럽이 손잡고 때려눕혔던 때인지라
유럽 전체에 혁명 세력에 대한 대대적인 탄압 바람이 불었고
혁명 어쩌고 하는 자는 모조리 잡아 가두어라!
스위스의 독립과 자유도 혁명 반대 세력 덕택에 되찾은 만큼
독립·자유
스위스에도 프랑스와 나폴레옹에 협조한 혁명 세력은
자유 평등 박애
당연히 지도자 자리에서 쫓겨나고
혁명 반대 세력이 실권을 잡게 됐지.
이제 혁명 세력의 찌꺼기를 쓸어내고
좋았던 옛날로 되돌아갈 수 있도록 헌법을 고친다!
이때 스위스가 예로부터 내려오던 지방 자치 중심으로 헌법을 고치려 손을 대긴 했어도
스위스 헌법
나폴레옹이 손봐준 중앙 집권제와 지방 자치제를 알맞게 섞은 현재 헌법이
NAPOLEON BONAPARTE
워낙 스위스의 특징을 잘 살리고 있어 크게 고칠 부분이 없었던 거야.
앞을 내다본 나폴레옹다운 법이었지.
역시 나폴레옹이야….

아무리 자유와 독립이 소중하지만
자유
독립
자기 힘이 아닌 남의 덕으로 얻으면 역시 큰소리는 칠 수 없는 법으로
자유
독립
독립된 주권 국가로 인정받은 스위스도 마찬가지였어.
성은이 망극하여이다!
프랑스의 지배 밑에 있다가
프랑스
연합군의 승리 덕에 자유를 되찾은 스위스인지라
프랑스
연합군
이젠 사사건건 연합국, 특히 오스트리아의 간섭을 받게 되지.
야! 네가 누구 덕에 프랑스 지배 벗어났니?
그동안 프랑스와 맞서 힘을 합쳐 싸워온 나라들이 '신성 동맹'이란 걸 맺고 있으니
너도 이 동맹에 가입하도록 해라. 물론 하겠지?
알았어요….
그리고 그동안 너희 스위스는 자유가 어떻고 잘난 척하느라고
다른 나라에서 왕에게 반항하던 무엄한 놈들이 도망쳐 오면 무조건 받아주고 있는데, 그거 못써요!
다시는 그런 자들 받아들이면 안 돼. 알았지?
…예!
말이야 바른말이지, 너희들 믿고 왕에게 대드는 자들이 자꾸 생긴다고. 그런 놈들이 갈 곳이 없다는 걸 분명히 보여줘야 해.

그것뿐이 아냐.
또 있어요?
너희 스위스는 그동안 프랑스 놈들의 간섭을 받은 까닭에
혁명이니, 새 세상 어쩌고 되어먹지 않은 흰소리하는 세력이 상당해.
혁명 좋아하네….
이제 그 따위 소리 하는 놈 모조리 쓸어내버려야 하니
잘 감시해!
!
혁명 어쩌고 하는 말 단 한마디도 못하도록 해.
그건 곤란….
짜식, 시키는 대로 하지 말이 많아! 하라면 해.
…….
그리고 너희들 무장 중립 어쩌고 한다만….
내 너희들 군대 갖지 말란 얘긴 안 한다!
군대를 갖되 우리, 아니 신성 동맹의 허락 없이 멋대로 숫자를 늘리거나
여기저기 마음대로 군대를 옮기면 재미없을 줄 알아!
아… 제 손으로 싸워 자주 독립 얻지 못한 설움….
앙
앙

프랑스의 뒤를 이어 스위스에 간섭하기 시작한 오스트리아는
더욱 잔소리가 심해졌고
이래라 저래라!
그럴수록 스위스는 더욱 실력이 필요함을 느끼게 되었지.
실력… 실력….

남의 간섭 안 받고 떳떳이 살려면 누가 뭐래도 내 한 몸 스스로 지킬 힘이 있어야 한다!
더구나 새로운 세상을 이루려는 혁명 세력이
자유! 평등! 박애!
역사의 수레바퀴를 거꾸로 돌리려는 지배자에게 크게 반발하여
지금이 어느 세상인데 옛날 타령 하는가?

나라 안으로도 시끌시끌해지자
와글 와글 시끌벅적
스위스는 군대를 2만에서 7만으로 크게 늘려
7만
2만
나라 안팎을 지키는 막강한 힘으로 키우는데
국경도 국경이지만 나라 안에서 말썽 피우는 자도 용서치 않는다.

이들 군사를 빨리 이동시킬 수 있도록
군사 도로와 다리, 터널,
그리고 알프스를 넘는 넓은 길을 닦는 공사가 크게 벌어진 것도 이때야.
덕분에 지금 관광 수입이 대단하죠.

그러나 정부가 아무리 군대를 동원하여
억누른다 해도
스위스엔 이미 한 번 프랑스 혁명의
바람이 스쳐간지라
자유
평등
박애
자유, 평등을 요구하는 혁명 세력이
쉽게 수그러들 리 없었지.
모든 인간은 자유롭고
평등하게 태어났다!
그리고 인간다운 권리를
누리며 살 자유가 있다!
그럼에도 불구하고 지금의 우리 정부는
낡아빠진 생각에 젖은 오스트리아의
꼭두각시가 되어
자유롭고 평등하게 살겠다는
우리의 주장과 권리를 짓누르고
인간을 높고 낮은 계급으로 나눠
낮은 계급의 권리와 자유를
짓밟고 높은 계급에게 무조건
복종할 것을 요구한다!
이것은 역사를 거꾸로 거슬러 가려는
시대에 뒤떨어진 생각이요, 몇 안 되는
특권층만의 세상을 만들려는 것이다!
하느님께서 우리에게 보장해주신
자유와 권리를 돌려달라!
꼭두각시 정부는 물러가라!
애국 스위스 시민이여
일어서라!
이런 자유와 진보의 외침이 온 스위스에서
소리 높이 울려 퍼지기 시작했어.
와글와글
자유
평등
박애

프랑스의 영향을 받은 혁명 세력이
혁명
나폴레옹의 패전과 함께
스위스에서 물러나자
오스트리아의 간섭으로

이번엔 정반대로 혁명 전의 차별 계급을
주장하는 사람들이 권력을 잡으니
옛날로 돌아간다!
스위스 국민은 두 패로 갈라져
온 나라가 벌집 쑤신 듯했지.
옛날이 좋았다!
아니다!
새로 권력을 잡은 사람들을 가장 크게
반대하며 나선 것은
옛날이 좋았다니, 누구를 위해 좋았다는 거냐?

젊은 혁명파 중심이었고
몇 되지 않는 높은 계급만 잘 먹고 잘살겠다는 거지?
각계각층의 학식이 높은 사람들도
그렇다! 청년들이 옳다!
우리 스위스의 역사가 거꾸로 흐르는 걸 보고만 있을 수 없다! 역사는 일부 특권층의 이익보다 국민 모두의 자유와 평등을 향해 흘러야 한다!

잘못된 역사의 흐름을 보고도 가만히 입 다물고 있는 것은 배운 자의 도리가 아니다!
청년과 지식인들은 거리로 뛰쳐나와
와
와
헌법 개정을 요구하며 큰 데모를
벌이기 시작했어.
스위스
개헌(改憲)

민주, 평등, 자유를 요구하는
학생들의 데모가 잇따르고
와 와
이에 수많은 시민이 뜻을 같이하여
데모에 가세함으로써
민주·자유·
평등!
와
학생들이
옳다!
스위스는 걷잡을 수 없는 혼란으로
빠져들어 갔는데
와

많은 주들이 이에 굴복
학생과 시민들의 뜻을 받아들여
알았쩌.
당신네 원하는
대로 할게.
오스트리아의 반대에도 불구하고 민주와
평등의 원칙을 받아들였어.
어머, 어머.
너 미쳤니?
얘!

그러나 혁명파와 그 반대파의 싸움은
치열하여

가령 '바젤' 같은 주에서는
Basel

'바젤' 시는 혁명 세력이, 교회는 혁명 반대
세력이 지배하니
자유
평등
야, 너
그렇게 나올
거야?
어쩔래?
바젤주
바젤 시

결국 '바젤' 주를 둘로 나누어
그럼 우리
갈라서자.
쭈와!
혁명 세력의 '바젤 시 주'와
바젤주
(시)
그 반대 세력의 '바젤 지방 주'로 갈라지는
등 온통 뒤죽박죽이었지.
바젤 주
(지방)

혁명이다, 반대다 시끌시끌하던 스위스는
와글
와글
차츰 두 개의 무리로 나뉘게 되는데
진보
보수
한 무리는 혁명 세력이 지배하는 주들이요.
진보
인간은 평등하다! 따라서 모든 인간은 같은 권리를 갖는다!
다른 한 무리는 오스트리아의 간섭을 받던 혁명 반대 세력이 지배하는 주들이었는데
보수
아니다! 인간은 태어날 때부터 계급이 다르다, 따라서 권리도 다르다!
이들은 연합군의 막강한 군사력을 믿고
암, 암.
혁명 세력이 지배하는 주를 위협했어.
이들은 혁명 세력을 때려부수기 위해
오스트리아 등 외국과도 손을 잡고
'특별 동맹'을 맺게 되는데
특별동맹
SONDER-
BUND
스위스의 보수·반혁명 주들
오스트리아 등 외국

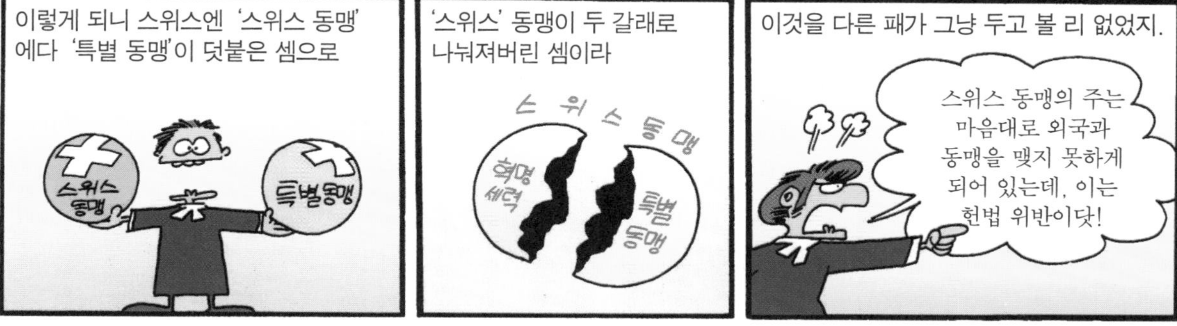
이렇게 되니 스위스엔 '스위스 동맹' 에다 '특별 동맹'이 덧붙은 셈으로
스위스 동맹
특별동맹
'스위스' 동맹이 두 갈래로 나눠져버린 셈이라
스위스동맹
혁명 세력
특별 동맹
이것을 다른 패가 그냥 두고 볼 리 없었지.
스위스 동맹의 주는 마음대로 외국과 동맹을 맺지 못하게 되어 있는데, 이는 헌법 위반이닷!

우리나라는 '스위스 동맹'으로 굳게 뭉쳐 있는데
혁명 반대파인 너희끼리 '특별 동맹'이라 해서 따로 뭉치니
이것은 곧 그대들이 나라를 둘로 가르자는 것이 아니고 무엇인가? 이것은 우리 스위스의 큰 위기다!
더구나 그대들은 오스트리아 등 외국 세력과도 손잡고 나라 안 문제에 외국 군대까지 끌어들일 궁리를 한다! 이는 사대주의며 우리 법에 어긋난다!
당장 '특별 동맹'을 풀고
외국에 알랑거리지 말고 우리 스위스끼리 단결하자!
그렇게는 절대 못해!
이 땅에서 혁명, 민주 어쩌고 하는 놈들을 모조리 뿌리 뽑으려면
오스트리아가 아니라 그 어떤 나라의 힘이라도 빌리겠다!
비겁한 것들!
그렇다면 군대로라도 특별 동맹을 때려 부수겠다!
부숴봐, 부숴봐!
또다시 스위스에 내전의 검은 구름이 끼기 시작했다.

결국 진보적인 혁명 세력과
보수적인 혁명 반대 세력의 충돌은 피할 수 없었는데
여기에 오스트리아 등 외국이 끼어든 건 물론이야.
이때 혁명 세력의 군대를 지휘하는 훌륭한 장군이 나타난다.
제네바 출신의 '앙리 뒤푸르' 장군!
뒤푸르 장군은 애국심이 뛰어난 군인으로
우리가 중립국이고 자주 독립국이 된 지가 언젠데
끊임없이 프랑스니 오스트리아니 이웃 나라의 간섭을 받고 있다니….
이젠 우리도 남의 간섭 없이 살고 싶다!
그러려면 자유와 독립을 우리 손으로 싸워 빼앗아야 한다!
그러므로 오스트리아 등과 손잡고 있는 특별 동맹군을 깨뜨려야 하고
그것은 곧 조국 스위스의 자유, 독립의 열쇠다!

스위스의 영웅 앙리 뒤푸르 장군,
그는 스위스의 앞날을 걱정하던 애국자로
이처럼 우리 조국이 어수선한 것은
나라가 작고, 알프스 산맥을 끼고 있어 유럽의 남북을 잇는 중요한 통로를 갖고 있으므로
북 유럽
스위스
이탈리아
이웃 강대국이 우리나라에 계속 간섭한 탓이로다.
알프스 달 밝은 밤에 산 위에 홀로 올라 긴 칼 옆에 차고 깊은 시름 하던 차에
어디선가 알프스 호른 소리는 남의 애를 끓이나니
뿌~~~웅
뒤푸르 장군은 오스트리아, 프러시아 등과 동맹을 맺은 세력에 맞서
동맹
오스트리아
프러시아
드디어 군사를 일으키기에 이르렀다.
딴따라라 딴딴 딴따~~~
병사들이여, 우리의 소원은 무엇인가?
우리의 소원은 통일, 꿈에도 소원은 통~~~일
그렇다! 우리 스위스가 사는 길은 뿔뿔이 흩어진 주를 하나로 통일하는 것이다!
그러기 위해서는 외세를 물리쳐야 한다! 외국이 우리나라 안 문제에 간섭하지 못하도록 하는 것이다!

그리하여 '뒤푸르' 장군이 이끄는 군대와
오스트리아, 프러시아 등 외국 세력과 동맹을 맺은 군대 사이에
스위스의 통일을 건 전쟁이 벌어졌다.
스위스의 통일, 맡겨 주십시오!

스위스의 이순신 장군이라 할 수 있는 뒤푸르 장군은 뛰어난 작전으로
제2연대는 왼쪽으로 공격~!
동맹군을 맞아 연전연승
와
전투마다 대승리를 거두었지.

막강한 군사력을 가진 오스트리아, 프러시아와 지원을 받은 동맹군이었으나
뒤푸르 장군의 기막힌 작전엔 꼼짝 못하고
깍꿍!
엄청난 피해를 낸 채

뒤푸르 장군에게 손들고 마는데
뒤푸르 장군의 작전이 얼마나 뛰어났는지
수없이 치러진 숱한 전투 속에서도 전사한 뒤푸르 장군의 군사 수는 모두 합쳐 138명뿐이었다니, 놀라운 일이지.
뒤푸르 장군은 또 훌륭한 스위스 지도를 만든 것으로도 유명하죠.

뒤푸르 장군의 승리는 곧
이제 너희들이 멋대로 맺은 외국과의 동맹을 무효로 돌리고
오스트리아, 프러시아와 손 끊고 이제 우리 일은 우리 손으로 해결하자!
자기 멋대로 안 된다고 외국 세력을 집안일에 끌어들이는 짓은
……
고양이 쫓으려고 호랑이 끌어들이는 짓이다!
남의 힘에 기대려는 썩어빠진 정신을 가진 한 외국은 우리를 우습게 보고 사사건건 간섭하려 들 거야.
그대들 오스트리아, 프러시아도 그렇지….
이제 다시는 우리 스위스 집안일에 끼어들거나
쓸데없이 집적거리는 건 꿈조차 꾸지 마쇼.
이로써 스위스는 다시 한 번 무장 중립국임을 다짐했고
중립
이후로 다시는 외국이 간섭하는 일이 없는 완전한 자주, 독립을 얻게 됐는데
자주, 독립은 스스로 싸워 지키는 자만이 누릴 수 있는 향기로운 열매라는 교훈을 남기고 있지.

두 패로 갈라져
진보 세력
보수 세력
집안 싸움을 일삼던 스위스의 여러 주들이
와지끈
뚝딱
뒤푸르 장군의 활약으로
뭣들 하는 짓이냐? 정신차려!

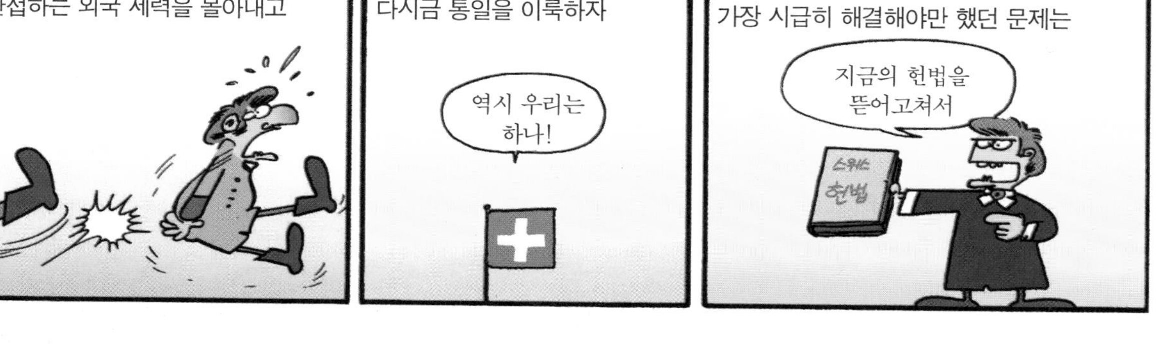
간섭하는 외국 세력을 몰아내고
다시금 통일을 이룩하자
역시 우리는 하나!
가장 시급히 해결해야만 했던 문제는
지금의 헌법을 뜯어고쳐서
스위스 헌법

모두가 만족할 만한 새 헌법을 만드는 것!
그렇다면 새로운 헌법의 골자는?
스위스 새 헌법
스위스가 하나의 통일된 국가가 되도록 중앙 정부를 두되
중앙정부
주
주
주
주
주
주

7백 년이나 된 뿌리 깊은 전통인 각 주의 자치 제도를 살린다.
우리 주의 세금은 수입의 5%다.
ㄱ주
다시 말해 스위스의 여러 주는 남의 간섭을 받지 않고 자기 일을 자기 스스로 해결할 권리를 갖되
우리 주 세금은 수입의 1%다.
ㄴ주
공동의 이익을 위해 '스위스'라는 깃발 아래 한데 모일 수 있는 헌법을 만드는 거야.
그래도 우리는 하나!

그리하여 스위스는 1848년 새로운 헌법을 제정하는데
땅 땅 땅
이 헌법은 1874년 약간의 손질만 했을 뿐
1848 ⇒ 1874
지금까지 스위스의 헌법으로 존중되어 오고 있어.
헌법
각 주의 자치권이 세계에서 가장 잘 보장된 이 스위스 헌법은
북을 치든 장구를 치든 주마다 멋대로 해라!
스위스 헌법
각 주가 하나의 나라나 다름없는 미국과 비슷하고
캘리포니아
유타
네바다
사실 미국의 헌법을 크게 본떠 만든 것으로
미국헌법
스위스 헌법

미국이야 넓디넓은 대륙에 50개의 '나라'나 다름없는 주가 있다고 하지만

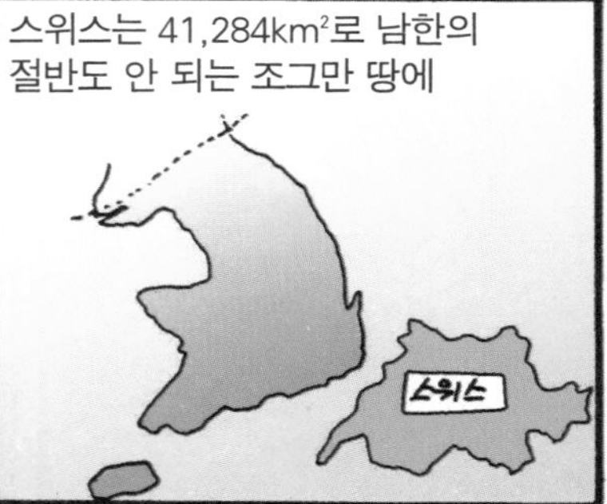
스위스는 41,284km²로 남한의 절반도 안 되는 조그만 땅에
스위스

20여 개의 독립 국가나 다름없는 자치 주가 있으니 재미있지.
와글 와글

스위스 헌법은 지방 자치제를 최대한 살리면서도
우리는
ㄱ주
개성이 강한 여러 주를 하나의 '나라'로 묶는
하나.
ㄴ주
한번 그 내용을 훑어볼 만한 재미있는 헌법인 만큼 살짝 들춰보기로 할까?
스위스 헌법

'스위스'를 이야기하려면
무엇보다 먼저 '칸톤'이란 말을 알아야 해.
칸톤
KANTON
CANTONE
'칸톤'이란 자치권을 가진 주를 말하는 것으로
여기부터 우리 주다.
칸톤
베른

스위스는 현재 26개의 주 즉 26칸톤으로 이루어졌지.
(이 중 6개는 1/2칸톤)
유라
바젤
아르가우
취리히
제네바
루체른
'칸톤'이란 쉽게 말해 '스위스의 주'라고 생각하면 돼.
'깡통'이 아님!
1848년에 제정된 스위스 헌법은 이래.
스위스
헌법
1848

스위스 헌법은 크게 나누어 먼저 '국가의 권리'
국가
그 다음 그 국가를 이루고 있는 주 즉 '칸톤'의 권리
칸톤
그리고 또 '국민, 개개인의 권리'
국민

이 세 가지가 서로 남의 권리를 침범하지 못하며
그 안에서 서로의 권리를 가장 크게 살리는
우리 주에서는 초등학교 여름 방학을 60일로 한다!
90일이 더 좋은데…
서로 필요에 의해 존중하고 존중받는 제도인 셈이야.
국가
칸톤
국민
보호
협조
협조
보호
협조
보호

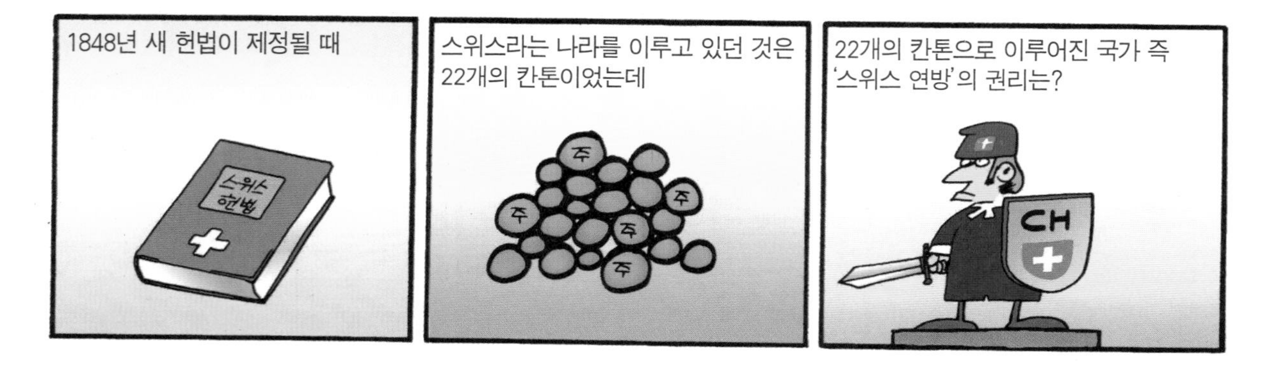
1848년 새 헌법이 제정될 때
스위스 헌법
스위스라는 나라를 이루고 있던 것은 22개의 칸톤이었는데
주
22개의 칸톤으로 이루어진 국가 즉 '스위스 연방'의 권리는?
CH

첫째, 외국과 사귀는 모든 '외교권'을 갖는다.
왜냐하면 만일 22개의 칸톤이 저마다 다른 나라와 외교할 권리를 갖게 되면
칸
톤
난 프랑스 편이다!
난 영국 편.
난 오스트리아랑 놀래.

당장 나라가 여러 갈래로 나뉘므로
외교는 온 스위스 국민과 모든 칸톤을 대표하는 중앙 정부가 맡게 되는 거야.
너희는 외교에서 쏙 빠져!
둘째, 스위스의 경제 정책을 맡는다.
스위스 경제

경제 정책을 각 주에 맡기면
우리 주는 요즘 안 팔리는 밀 대신 소, 양을 기르겠다!
우리 주도 그럴 건데!
이럴 때 중앙 정부가 나서서
서로 자기 좋을 대로만 할 수 있소?
당신네 주는 계속 밀을 재배하시오. 대신 나라에서 비싼 값으로 사주겠소.

스위스 중앙 정부의 세 번째 권리는
CH
한 주로 끝나고 여러 주가 함께
사용하지 않으면 곤란한 것,
가령 돈, 우표, 통신, 무게나 길이
단위 등을 맡아 통일시키는 것인데
100
손바닥만한 나라에서 주마다 서로 다른
돈이나
그 돈 여기선 안 쓰니
은행 가서 바꿔 오슈.
10
우표 등을 사용하면 너무
번거롭고
이 우표는 옆 주
것이니 무효요!
새로 사 붙이쇼!
우체국
무게나 길이도 통일해 쓰는 게
중요하며
설탕 한 근
주쇼!
600g
말이오?
아니
'온스'로
칩시다.
특히 스위스는 외국과의 국경이 많고
프랑스
도이칠란트
스위스
오스트리아
리히텐슈타인
이탈리아
따라서 드나드는 사람들의 물건을
감시하는 세관도 여러 군데니
ZOLL
DOUANE
국경·세관
주마다 다른 세관 규칙이 있으면 여간
큰 문제가 아니므로
담배 20갑?
10갑은 세금 무쇼!
옆 주는 20갑
까지 괜찮은데.
이것도 모든 주가 중앙 정부의 지시에 따라
스위스 모든 지방에서
쓰는 돈은 '스위스
프랑'으로 정한다.
1스위스 프랑은
100라페다.
CH
통일된 규정을 지키도록 되어
있지.
스위스는 미터법을
사용하며 모든 스위스
국경은 공통된 규정을
따른다.
그러나 중앙 정부의 가장 중요한
권한은 스위스 군대를 지휘할
권한이야!

자, 이제
크고 작은 22개의 칸톤들이 모여
스위스라는 나라를 만드는 데 성공했다.

이제 각 주의 대표들이 한자리에 모여 나랏일을 의논하는 국회를 만들어야 하겠는데
어떻게 해야 작은 주도 억울하지 않고
큰 주도 손해보지 않을 수 있도록

국회 의원의 수를 골고루 나누느냐가 문제가 되었지.
만약 각 주마다 같은 숫자의 국회 의원이 나오면
큰 주가 억울하고

인구에 따라 국회 의원 수를 정하면
인구 2만 명에 국회 의원 1명씩 정하자!
인구 적은 주가 크게 불리하니
싫다! 우리 주는 땅은 제일 넓은데 인구는 제일 적다!
이 두 가지를 잘 섞은 제도를 개발해보자!
1칸톤 2대표
칸톤 인구비례 대표

이래서 스위스는
국회를 둘로 나누어
국회
상 원
Nationalrat
하 원
Ständerat
상원은 각 주마다 두 명씩 골고루 의원을 보내 이루고
상원
칸톤
칸톤
칸톤

하원은 각 주의 인구에 따라 의원 수를 달리하여
인구 적은 주는 의원 수도 적고
인구 많은 주는 의원 수도 많고
바글 바글
인구 2만 명에 의원 한 명을 뽑아 이루니
인구 26만? 그러면 의원은 13명!
작은 주는 작은 대로 대표자를 보내고
인구가 많은 주는 의원을 많이 보내니
A주
B주

불평, 불만 없이 각 주의 이익을 지킬 수 있게 된 거야.
웬만한 일은 하원에서 처리하되
새 농가 지원법 통과!
땅땅땅
하원
나라의 중요한 일은 상·하원이 함께 모여 의논하는데
의장
상원
하원

가령 국가 원수를 뽑는다든가
최고 재판장, 장군 임명이 여기에 속하니
큰 말썽 없이 나랏일이 처리될 수 있었어.
O.K

그럼 각 주 즉 칸톤은 중앙 정부에 비하여 어떤 권한을 가질까?
CH
칸톤
중앙정부
가장 중요한 권한은
다름 아닌 세금 거둬들이는 권리로
세금 바쳐라!
칸톤

자기 주에서 거둬들인 세금으로 주의 일을 해나가기 때문에
세금
칸톤
남의 눈치를 보거나
남에게 돈 때문에 손 벌리는 일 없이 떳떳이 정치를 해나갈 수 있으므로 말뿐이 아닌 정말 자치적인 독립을 지킬 수 있지.
우리 돈, 우리 세금 우리가 쓰는데 누가 뭐래?!

물론 거둬들인 세금 가운데 일부는 중앙 정부에 보내져
세금
칸톤
CH
중앙정부
스위스 전체의 일에도 쓰이고
고속도로를 더 건설한다!
CH
돈이 필요한 칸톤에 빌려주거나

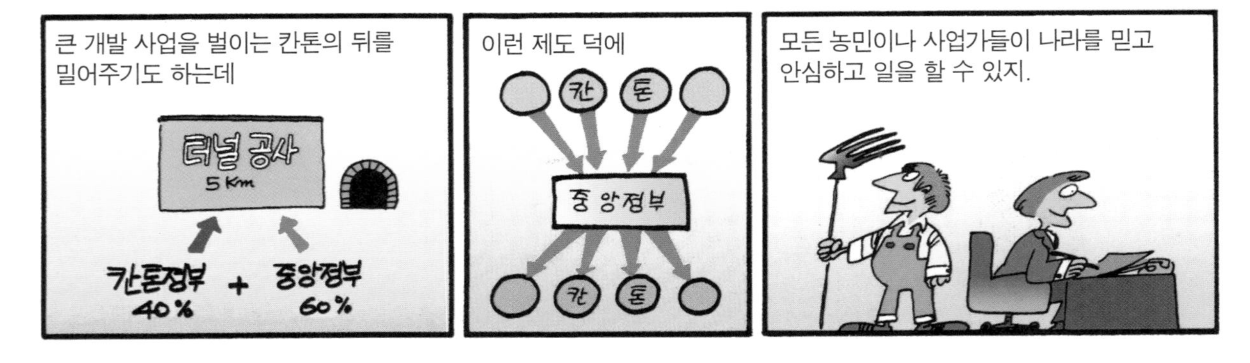
큰 개발 사업을 벌이는 칸톤의 뒤를 밀어주기도 하는데
터널 공사
5Km
칸톤정부 40%
+
중앙정부 60%
이런 제도 덕에
칸
톤
중앙정부
칸
톤
모든 농민이나 사업가들이 나라를 믿고 안심하고 일을 할 수 있지.

가령 포도 농사를 짓는 'ㄱ'이라는 농부가 있다고 해보자.
'ㄱ'은 포도 농사로 1년 평균 5천만 원의 수입을 얻는데,
997… 998… 999… 1,000… 5천만 원….
농사라는 것이 풍년일 때도 있고 흉년일 때도 있어서
알프스 산맥을 넘어 북부 지방을 강타한 폭풍으로 농작물의 피해가 커.

지난해엔 농사가 잘 안 돼
포도 수확이 30%나 줄었다고 합니다!
1년 수입이 4천만 원에 그쳤다면
5,000만
4,000만
'ㄱ'은 주 정부(칸톤 정부)에 보고를 하지.
올해는 1천만 원의 수입이 줄었소.
칸톤정부

칸톤 정부는 이것이 사실인가 아닌가 검사하고
흠, 정말이군!
줄어든 수입 1천만 원을 칸톤 정부 돈으로 'ㄱ'에게 내주니
농가피해보상
자, 1천만 원.
'ㄱ'은 흉년이든 풍년이든 적어도 1년에 5천만 원의 수입이 보장되고
피해보상비
5000만
4000만

아무런 걱정 없이 농사에 충실할 수 있다는 거야.
여보, 올핸 비가 너무 안 와요.
그게 무슨 걱정이야? 농사 망치면 정부가 물어 줄 텐데.
'ㄱ'과 같은 농부가 많아 칸톤 정부의 돈으로 다 메울 수 없으면
농사 망친 집이 너무 많아 우리 칸톤 돈으론 모자라겠다. 오버!
칸톤정부
이번엔 중앙 정부가 모자라는 돈을 대주니, 국민들의 생활은 안정될 수밖에.
알았다. 모자라는 돈 보내주겠다. 오버!
중앙정부

칸톤 정부의 또 하나의 중요한 권리이자 임무는
자기 주의 학교와 교육을 책임지는 것인데
A·B·C·D
가갸거겨
여러 칸톤들은 자기네의 특성과 전통을 살려
우리 칸톤은 오직 산악으로만 돼 있으므로
학교 제도를 결정할 권리를 갖지.
자연 학습과 체육에 중점을 둔다.
우리 주는 학교에서 쓰는 말을 프랑스어로 한다!
우리 주의 학교에선 도이치어를 쓰되, 이탈리아어 시간을 1주일에 적어도 4시간을 둔다!
우리 주는 산이 험하고 눈이 많으니 겨울 방학을 다른 주보다 2주 길게 한다.
또 주마다 자기네 특성에 맞춰
우리 주는 이탈리아 계통의 주민이 대부분이므로
법을 만들 권리도 갖고 있어서
우리 주의 주식은 스파게티로 한다!
땅 땅 땅
조그만 나라 스위스지만 주마다 법이 조금씩 다르지.
-법- 칸톤 우리
-법- 제네바
취리히
루체른
바젤
베른
그러나 칸톤 정부가 절대로 해서는 안 되는 것이 있는데
그것은 외국과 조약이나 동맹을 맺는 거야.
?

칸톤 정부는 어떤 이유가 있든 간에
어~이 우리 둘이 따로 노~올자!
다른 주와
좋~지!
또는 다른 나라와 동맹이나 조약을 맺어서는 안 되는데,
어~이 우리랑 놀자!
만약 칸톤 정부에 이런 권리를 주면
외교권
여러 칸톤이 필요와 이익에 따라
산동네에 사는 사람 이리 붙어라!
몇몇 주끼리 똘똘 뭉치든가
도이치어 하는 동네 요리 뭉쳐라!
평야 지방 사는 동네 이리 모여라!
아니면 외국과 조약을 맺어
우리 주는 관광객을 더 끌어 오게 미국과 조약을 맺자!
우리 주는 우유, 치즈 팔아먹게 러시아와 조약을 맺자!
스위스란 나라가 여러 갈래로 조각날 염려가 있기 때문에
우리 주는 중국과 친하고 싶소.
외국과 사귀는 것, 주와 주 사이의 친교는 반드시 중앙 정부의 허락과 간섭 아래 이루어지고 있지.
그런 건 내게 맡기고 가서 놀아라~!
CH
중앙정부

또 각 주마다 군대를 갖긴 하되
중앙 정부가 군사 지휘를 모두 맡으면 힘으로 칸톤에 간섭할 염려가 있다! 그러니 주도 스스로 군대를 가져야 한다!
공군 및 해군과 대포, 장갑차, 탱크 부대 등은 중앙 정부의 지휘를 받고
어머, 바다가 없는 스위스에 해군이 다 있나?
호수는 물이 아니냐?
칸톤 정부는 육군의 보병만 지휘할 권리를 갖는 것도 재미있어.
우리 주를 지킬 '사람', 즉 군인만은 우리 주가 지휘한다!

거의 대부분의 민주주의 국가에서는
대표 민주주의라 하여
그 나라 국민 모두가 직접 정치에 참여할 수 없으므로….
국민이 그들의 대표인 국회 의원을 선거를 통하여 뽑으면
××당 후보
○○당 후보
기호 1
기호 2
투표장

국회 의원이 나랏일을 직접 맡게 되고
외국 상품이 마구 쏟아져 들어오는 걸 막기 위해 새로 '관세법'을 만듭시다!
국회
또한 국회 의원들은 그들이 속한 정당이 결정하는 대로 따르게 되어
우리 당은 새 관세법에 반대함!
××당
민주주의 국가라 하더라도 국민은 선거만 끝나면 정치와 멀어지고
찬성
반대
정치는 국민의 대표자인 국회 의원과 정부에 의해 다루어지게 마련인데
찬성!
반대!
국회
정부
스위스 헌법은 국민의 권리를 중요하게 여겨
국가의 진정한 주인은 국민이며
헌법
선거가 끝난 뒤에도 국민이 정치에 참여해서 잘못을 바로잡을 수 있도록 못 박고 있어.
모든 국민은 스스로 정치에 참여할 권리가 있다!

이것을 '국민 주도권'이라 하여
Volksinitiativ
이는 헌법이 보장하는 권리로,
국민들이 옳다고만 생각하면
국민이 대표를 뽑아 국회에 보내지만 그들이 국민의 뜻에 따르지 않는다면
헌법까지도 고칠 권리를 갖고 있지.
국민이 스스로 앞장서서 이를 바로잡아야 한다!

만약 국민이 법에 불만이 있으면
이 법은 고쳐야 한다!
서명 운동을 벌여
Hans-peter Dichmann geb. am 15.1.1810 in Bern Baseler Straße 37. / Bern
Dichmann
스위스 국민 가운데 유권자 5만 명의 서명을 받으면
헌법은 국민의 심판을 받아야 하는 도마 위에 오르고
헌법
헌법을 고치느냐 마느냐를 전 국민에게 묻는
국민 여러분이 스스로 결정하시오!
국민 투표에 부치도록 되어 있지.
투표함
만약 국민 투표 결과가 '찬성'이면 헌법은 국민들의 요구대로 고쳐야 하지.
국민들의 뜻에 따라 헌법을 개정함!
1848년 제정된 스위스 헌법은
국민 여러분, 국회가 이런 내용의 헌법을 만들었는데….
CH
국민의 의사를 묻는 국민투표에 부쳐져
이 헌법에 찬성하십니까? 반대하십니까?
CH
찬성 169,000표, 반대 71,000표로
반대
찬성
스위스 헌법으로 확정, 선포되었는데
땅땅땅
그 당시로서는 가장 민주적이고 앞선 헌법이었다고 할 수 있지.
민주주의를 위한 혁명은 프랑스에서 시작되었지만
민주주의에 가장 먼저 다가간 것은 스위스다!
스위스 헌법 1848

1789년 프랑스 대혁명이 일어난 이래
자유·평등·박애
자유, 평등의 물결은 온 유럽에 번졌고
혁명
이를 막기 위한 왕, 귀족들의 탄압 또한 극심해서
혁명의 '혁' 자라도 입에 담는 자는 모조리 잡아 가두어라!
온 유럽이 자유, 진보 세력과 보수 세력의 충돌로 어수선했으나
나라의 주인은 국민이다!
웃기지 마! 왕이다!
세월이 흐르는 동안
자유와 평등을 향한 민주의 외침은 더욱 드높아졌고
자유
평등
유럽 여러 나라들도 차츰 이에 발맞추지 않을 수 없었는데
알겠다….
스위스야말로 유럽 대륙에서 가장 먼저
…….
든든하고 바람직한 민주 제도를 심은 나라이다.
민주주의

뿌리 깊고 튼튼한 이들 스위스의 민주주의야말로
스위스를 세계 제일의 잘사는 나라로 이끌어 올린 원동력이란 것은
스위스 역사를 들춰본 사람이면 누구나 얻을 수 있는 교훈이야!

만약 서양 사람이 우리나라에 와서
오우!
한국, 코리아, 너무너무 좋습니다!
그래요?
아름다운 금수강산, 오 대한민국! 너무나 살기 좋은 나라입니다!
나도 이 나라에 귀화하여 한국 국민이 되어 죽을 때까지 살고 싶습니다!
그렇습니까?
이 사람이 신원 확실하고 자격만 갖추었다면
모든 여건을 갖추셨다면야….
땡큐! 땡큐!
그러나 스위스에서는
오, 아름다운 스위스!
나도 스위스 국민이 되어 이 나라에서 살고 싶습니다!
이런다면 스위스 사람들은
웃기지 마쇼! 누구 맘대로….
아마도 세계에서 국적 얻기가 가장 어려운 나라,
그곳은 스위스라 해도 지나치지 않을 만큼
스위스 국적을 얻기란 하늘의 별 따기만큼이나 어렵지.
알프스만 높은 줄 아냐? 국적의 문턱은 더 높다!

사실 스위스에 와서 사는 다른 나라 사람들도 대단히 많다.
외국인 1백만 (15%)
스위스 인구 7백만
스위스인 6백만
그러나 이들은 어디까지나 '외국인'으로서
스위스에서 살되, 자기 돈 갖다가 스위스에서 쓰는 것은 자유지만
집세·음식·호텔 입장료·사용료·쇼핑
스위스에서 돈을 벌 자유는 크게 제한받고 있어.
우리나라에 돈 벌러 왔어? 언제부터 언제까지 어디서 얼마 버나 모든 증명서를 내시오!
당신 돈 우리나라에 가져다 풀어놓는 건 자유지만 우리 돈 당신 나라에 가져가는 건 안 돼!
게다가 스위스는 역사적으로도 유럽에서 가장 지방색이 강하여
올라리야오~
어느 마을이건 그 마을 사람들이 똘똘 뭉쳐
외국인
입주사절
낯선 사람이 자기네 생활에 끼어드는 것을 막고 있으며
더욱이 자기 마을에서 돈 벌어 가는 것을 철저히 막고 있는데
남이 와서 자기 나라 돈 가져가는 걸 그냥 둘 수 있나요?
그 방법이 바로 스위스 국민이 되는 국적을 주지 않는 것이고
스위스국적
스위스 국적이 없는 사람은 '외국인'으로
호텔을 짓고 싶으시다고요?
외국인은 스위스에서 장사나 사업을 마음대로 할 수 없도록 되어 있지.
그럼 우선 국적부터 신청하시오.

가령 A라는 도이치 사람이 스위스 국적을 갖길 희망하면
스위스 국적을 갖고 싶소.
먼저 A가 살고 싶어하는 마을에서 마을 사람 모두가 모여 이 문제를 다루게 돼.
여러분!
A라는 사람이 스위스 국적을 얻어 우리 마을에 살기를 원한답니다.
그 사람 도대체 어떤 사람이오?
유명한 사업가인데
재산도 상당히 된답니다!
만약 A가 우리 마을에 살고 국적을 얻는다면
우리와 똑같이 장사나 사업을 할 권리가 생기오!
돈 많은 A가 큰 호텔이라도 짓거나 식당을 새로 내면 우리들에게 손해가 돌아옵니다.
A가 인품도 있고 재산도 있어서 우리 스위스 사람이 되기에 흠 잡을 데 없다면 우리 마을에서 사는 대가로
우리 마을 금고에 1백만 스위스 프랑을 내도록 하시오!
1백만 스위스 프랑이면 우리 돈으로 8억 원이 넘는 큰돈인데
1000000 sFr
≒800,000,000원
국적을 주는 것도 아니면서 자기네 마을 이웃으로 받아주는 대가가 이 정도이니 정말 대단한 사람들이지?
싫으면 그만둬!

스위스 인구의 75%가 도이치어를 쓰니 사실상 스위스는 게르만 민족 중심의 나라다.
FLUGHAFEN KÖLN-
게르만 민족의 특징은 깨끗한 것을 좋아하고
질서를 존중한다는 거야.
시민들의 준법 정신과 질서 지키는 습관은
게르만족이 사는 스위스, 도이칠란트 등 북쪽 유럽과 라틴족이 사는 이탈리아, 남프랑스 등 남쪽 유럽에는 큰 차이가 있어.
북유럽 사람들에겐 원칙과 질서가 무엇보다 중요하여
원칙
질서
사람이 모이는 곳엔 언제나 줄이 생기게 마련이고
차가 오건 말건 빨간 불 앞에선 멈춰 서서
끼익
파란 불이 켜질 때까지 참을성 있게 기다리는 등
융통성이 없어 갑갑할 정도로 규칙을 잘 지키는 데 비해
빨간 불은 빨간 불이야.
남유럽에서는 빨간 불이 켜졌는데도 여유만만하게 길을 건너는가 하면
끼익
뒤죽박죽인 것 같은 인상을 줄 정도로 자기 멋대로지.

이런 준법 정신, 원칙에 충실한
게르만 민족의 국민성은
법
너무 지나칠 정도로 몸에 배어서
다른 나라에서 온 사람들에겐
신기할 정도인데

이 원리 원칙을 따지는 고지식함은
게르만 민족의 특징이기도 하지.
아인 츠바이!
하낫 둘!
법

질서와 원칙에 대한 게르만 국민성은
스칸디나비아에서 스위스에 이르기까지
공통적이다.
같은 스위스라도 도이치어 쓰는 민족이
사는 지방은 군대 제복처럼 같은 모습을
하고 있는데
프랑스어를 쓰는 지역은
건축물도 다양하고 개성이
강한 것이 특징이야.

게르만 민족의 원리 원칙 지키는 민족성과
원칙에서 어긋나는 행동을 못 견뎌하는
보기는 얼마든지 들 수 있다고.
버스를 탈 때건 물건을 살 때건
저절로 줄이 생기는데,
가령 새치기하는 사람이 있으면
실례!
물건 파는 사람이 오히려 야단을 치지.
여보쇼!
당신은 나중에 왔으니 줄
뒤에 서시오!
만약에 교통 신호를 어기고 빨간
불인데도 지나가는 차가 있으면
부웅

그 누군가가 벌써 신고를 해서
경찰이죠? 방금 번호판 취리히… 노란 포드….
호된 벌금 통지서를 받게 되는 일은 아주 흔하다.
벌금 통지서
성명: XX XXXXX
주소:
차량번호: D-EK-319
차량종류: 포드 에스코트
귀하는 19XX년 X월X일X시
그러니 남의 눈이 무서워서도 규칙을 어길 생각을 못하게 되고
좋든 싫든 간에 규칙을 따르게 되고 또 그것이 몸에 배게 되어
끼익
모든 일에 규칙과 질서가 뒤따르게 마련이야.
부웅
프랑스나 이탈리아 사람들은 심지어 이런 말까지 하고 있단다.
게르만 국민은 모두 경찰이다!
이런 게르만 민족의 원리 원칙 따지는 성격과 신고 정신의 예를 몇 개 들어 볼까?
어느 날 아침, A씨는 회사에 출근하려고 집을 나섰는데
뜻하지 않은 일을 발견했어.
집 앞에 세워둔 A씨 차를 밤사이 누군가가 차로 살짝 긁고 사라진 거야.
어느 망할 녀석이 남의 차를 상하게 하고 도망을 쳤담? 당장 경찰에 신고해야지.
그러나 누가 범인인지 증거도 없고, 또 증인도 없으니 곤란할 수밖에….

그러나 A씨는 차 유리창에 끼워진 조그만 쪽지를 발견했어.
이게 웬 쪽지야?
나는 어디 사는 아무개인데
어젯밤 실수로 당신차를 약간 상했소.
당신이 어디 사는지 모르고, 물어볼 사람도
없어 부득이 이 쪽지를 남기고 그냥 가니
다음 주소나 전화로 연락을 해 주면
당신차의 손해 배상에 대해 얘기할 수
있습니다.
헬무트 바우어
×××가 ○○번지
전화 △△△△번
그런데 A씨는 또 하나의 쪽지를 발견하게 돼.
이건 웬 쪽지야!
그 쪽지의 내용이란….
나는 이동네 아파트B동 36호에
사는 하인리히마이어란 사람이오.
어젯밤 12시 20분경
창문으로 밤색 포드 그라나다 형
번호 BERN-K2371번 차가 당신
차를 긁고 도망치는 것을 목격하였
으니, 만약 재판이 열리거나 경찰
조사가 있으면 기꺼이 증인이
되어 드리겠소.
어때? 이러니 어디 사고를 내고 뺑소니칠 용기가 생기겠어?
남의 눈이 무서워서라도 규칙을 지키게 될 수밖에….
가령 유럽에서 교통사고가 나면
사람이 다쳐 길가에 누워 있는데도
사고 당사자는 경찰을 부르는 것보다 우선 사고를 목격한 증인부터 찾으려 드는 경우를 흔히 보게 돼.

왜냐하면 아무리 자기가 잘못한 게 없더라도
끼익
쾅
상대방이 유리한 증인을 많이 내세우면
자전거 탄 사람이 자동차를 들이받는 걸 봤어요.
짝
모든 잘못을 뒤집어쓰고 피해를 보상해야 할 판이기 때문이야.
자전거 탄 사람은 자동차 수리비 2,500프랑을 물어주라!
땅땅땅
프랑스, 이탈리아 같은 남쪽 유럽에선
사고를 보셨죠? 저의 증인이 되어주십쇼!
처…천만에! 난 아무것도 못 봤소!
공연히 증인이 되었다가 경찰서, 재판소에 계속 불려다니고, 엉뚱한 낯선 사람에게 불리한 증언을 해야 되는데,
나도 바쁜데 생기는 것도 없이 미움받을 짓을 뭐하러 해?
그래서 증인 내세우기가 거의 불가능한 데 비해
증인….
난 아무것도 몰라요!
도이칠란트에서는 정반대라고.
암, 증인이 되어드리고 말고! 이 두 눈으로 똑똑히 보았는걸….
심지어 묻지도 않은 사람들까지 나서서
사고를 목격했는데 증인이 되어드릴까?
나도요!
자기 바쁜 일도 제쳐두고 경찰서, 재판소에 증인으로 나서는 걸 봐도
재판소
게르만 민족의 한 단면을 볼 수 있지 않아?

어느 통계에 따르면
어느나라에 소액이 원인이된 소송이 가장 많은가?
사소한 다툼이 재판소까지 가는 일이 도이칠란트가 전체 유럽에서 가장 많고 스위스도 못지않아.
도이칠란트
가령 1천 원짜리 물건이나 상한 우유 1리터로 생긴 다툼 등이 재판에까지 이어지는 게 보통인 나라란 거야.
좋다!
법으로 해결하자!
A씨는 B가게에서 1천 원짜리 통조림을 하나 샀는데
슈퍼
BB
깡통을 뜯고 보니 포장에 쓰여 있는 500g보다 50g이 적은 450g밖에 안 되더라 이거야.
500g
우리 같으면…
그까짓 것 적으면 얼마나 적다고, 그냥 먹고 말지 째째하게 통조림 하나 가지고….
그러나 게르만인인 A씨는 당장 B가게로 달려가
슈퍼
BB
이건 고객을 속이는 사기요! 당장 돈 도로 내놓으시오.
우리가 포장과 내용이 같은지 어떻게 수천 가지 품목을 일일이 대조합니까?
물건에 따라 혹시 약간의 차이가 나는 수도 있죠.
그러니 도로 물러달라는 거 아뇨?
당신 저울이 잘못되었는지도 모르고, 일단 한 번 뜯은 물건은 돈으로 물러줄 수 없소.
좋소! 그렇다면 당장 당신네 가게를 고발할 테니 법정에서 만납시다!

이래서 단돈 1천 원짜리 통조림 하나로 지면 수십만 원의 비용을 뒤집어쓸지도 모르는 재판이 벌어지는 일이 수두룩한데
소송 기록부
★ A씨 대 B가게
★ 소송이유
파인애플 깡통 1개
(500원)
B가게 측
변호사 ○○씨
증인 □□씨
A씨측
변호사 ××씨
증인 △△씨
참고인
감정인
××
A씨에겐 1천 원이란 가격이 문제가 아니라
ANANAS
MIT SIRUP
500원
1천 원을 내고 500g을 받을 권리가 있는데 450g밖에 되지 않아 원칙에 벗어난 것을 참을 수 없었던 거야!
이건 어디까지나 원칙 문제라고….

게르만 민족의 원리 원칙을 중시하는 성격의 보기는 얼마든지 있어.
서울의 김×× 교수는 스위스 ○○대학의 초청을 받고
○○대학에서 6개월 동안 강의를 하게 되었지.

그 대가로 첫 봉급을 받고 난 뒤
급료 계산서
외국인 관리 관청의 부름을 받았어.
김 교수님.
AUSLÄNDER-
BEHÖRDE
당신은 우리나라에 학문을 목적으로 오셨는데 왜 일을 하십니까?
?

당신 여권엔 우리나라에서 일을 해서 돈을 벌지 못하도록 되어 있는데,
당신은 대학에서 강의를 해서 돈을 벌었으니 법을 어긴 것입니다.
뭐요?
당신 나라에 와서 강의해달라고 한 건 누구고, 강의해서 봉급 받았다고 따지는 건 누구요? 당신네 나라에선 이렇게 서로 손발이 안 맞는가요?

당신을 초청한 것은 내가 아니니 알 바 없고, 내가 맡은 일은 허가 없이 일하는 외국인을 감독하는 것입니다.
그러면 나에게 따질 게 아니라 나에게 강의를 맡기고 돈을 준 ○○대학에 책임을 물으시오.
○○대학은 당신에게 강의를 맡기고 당신에게 봉급을 주는 것으로 책임이 끝난 것입니다. 그 밖의 문제는 당신 책임입니다.
어머, 어머!
그러니 앞으로 계속 강의를 하시려면 우리나라에서 일을 해도 된다는 '노동 허가'부터 받으시오!
김 교수 입장에선 불쾌하고 어이없는 일이겠지만
이 관리를 탓할 수도 없는 것이
나는 우리나라 법에 쓰여 있는 원칙을 따르는 것뿐이오!
스위스가 무장 중립국을 선포한 이래
중립
오늘날까지도 중립 국가로 남아 있기까지는
중
립
많은 시련과 고통이 뒤따랐어.
최근에 이르는 100여 년 동안
중립
스위스의 중립을 위협하는 위기가 크게 세 번 있었는데
우선 스위스의 두 이웃 나라인 프랑스와 도이칠란트(프러시아)가 맞붙은 이른바 '보불 전쟁'(1870~1871).
와지끈
뚝딱

그 다음이 온 유럽이 두 패로 갈라져
싸운 제1차 세계대전,
그리고 인류 최대의 비극이라는
제2차 세계대전이었지.

온 유럽, 온 세계가 네 편이냐
내 편이냐 갈라져
아군 아니면 적군으로 싸우던
그 틈바구니에서
어떻게 스위스 같은 조그만 나라가
끝까지 중립을 지킬 수 있었을까?
중립
헥
헥 헥

'고래 싸움에 새우 등 터진다'는
말이 있지?
이웃에 힘센 나라들이 있으면
어쩔 수 없이 그들 싸움에 피해를 입는다는
뜻인데

스위스의 경우도 마찬가지라
프랑스, 도이칠란트, 오스트리아
사이에 끼여
도이칠란트
프랑스
오스트리아
스위스
끊임없이 싸워대는 강대국들 틈에서
살아남기 위해
내가
최고다!
웃기지
마!
내가
첫째야!

예로부터 스위스는 중립을 선언해 왔고
우리는 딱 한가운데다!
또 중립을 지키기 위해 단단히 무장한 '무장 중립'을 지켰지만
조그만 나라가 아무리 무장해봤자
새우 머리에 투구 써봤자다!
강한 나라가 이를 무시해버리면 그만이거든.
중립 좋아하셔!
더구나 스위스가 이들 세 나라 한복판에 자리잡은지라
스위스 중립은 언제 무너질지 모르는 형편이었어.
중립
1618~1648년 30년 전쟁 이래
영국
덴마크
스웨덴
도이칠란트
에스파냐
프랑스
오스트리아
전쟁터였던 도이칠란트는 풍비박산되고
도이칠란트
유럽의 3등 국가로 추락하여 전혀 힘을 쓰지 못하다가
옛 동도이칠란트·폴란드 지방에서 일어난 프러시아가
스웨덴
덴마크
프러시아
네덜란드 왕국
프랑스
갑자기 막강한 군사력을 길러 강대국으로 떠올랐고
아인 츠보 아인 츠보
'철혈 재상'으로 불리는 비스마르크의 등장으로
OTTO VON BISMARCK
오토 폰 비스마르크

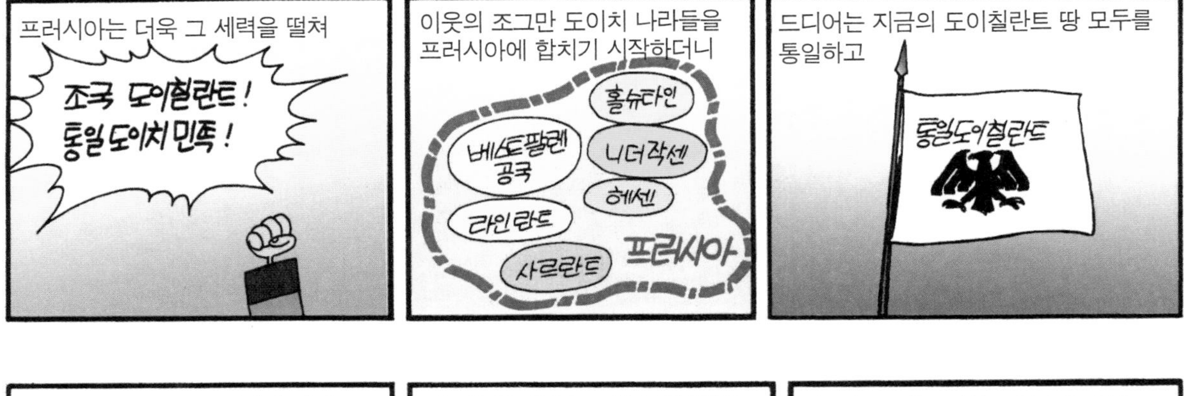
프러시아는 더욱 그 세력을 떨쳐
조국 도이칠란트!
통일 도이치 민족!
이웃의 조그만 도이치 나라들을
프러시아에 합치기 시작하더니
홀슈타인
베스트팔렌 공국
니더작센
헤센
라인란트
사르란트
프러시아
드디어는 지금의 도이칠란트 땅 모두를
통일하고
통일도이칠란트

영국, 프랑스, 오스트리아가 가장
힘센 나라로 유럽에서 행세하던 터에
새로운 강대국으로 회오리바람을
일으키며 떠오르니
짠
이를 누르려는 이웃 프랑스와 한판
힘의 대결을 피할 수 없게 되었지.
저게 갑자기 힘 좀
세졌다고 건방지게
돼지 앞에서 코
뒤집고 있어!

오랜 세월을 프랑스의 손아귀에서
살아왔던 도이칠란트(프러시아)는
꿇어앉아!
가슴 깊이 원한이 쌓여 있었어.
이 원수 꼭
갚으리….
빠드득
프랑스는 프랑스대로
어… 어….

자기네 식민지에까지 침을 흘리는
프러시아를 두고 볼 수만 없던 터에
저… 저게.
결국 1870년 두 나라 사이에
전쟁이 터지고 마는데,
꽈광
이를 프프 전쟁(프랑스-프러시아), 또는
보불(프러시아-불란서) 전쟁이라 하지.
프랑스가 역사상
처음 도이칠란트에게
진 전쟁….

전쟁이 터지자 누구보다 먼저
신경을 곤두세운 것은 스위스로
비상! 비상!
두 나라 사이에 끼어 있으니 언제
전쟁의 불똥이 튈지 모르는 일이었던
까닭이지.
스위스는 온 나라에 총동원령을
내리고
땡땡땡
땡땡땡
땡땡
땡땡

군대를 모두 국경에 집결시켜
도이칠란트
프랑스
스위스
국방 경계를 서둘렀는데….
우리는 중립이다! 너희들끼리
머리 터지게 싸우든 말든….
너희들 땅에서 싸우고, 우리
땅엔 한 발자국도 들여놓지 마라!

프랑스-프러시아의 전쟁은
프러시아를 깔보고 업신여겨
군기가 해이해진 프랑스 군대에
비해
잘 훈련되고 사기 높은 프러시아
군대의 싸움이었으므로
팽
팽

전쟁이 시작되기가 무섭게 프러시아
군대는 물밀듯이 프랑스를 휩쓸고
순식간에 프랑스의 수도 파리를
포위해버렸다.
파리
크게 당황한 프랑스 군대는
아니, 이럴 수가….

적이 수도 파리를 포위해 버렸으니….
이 위기를 넘기려면 적의 등을 공격해야 한다!
어떻게…?
우리와 적의 국경은 철통같은 수비 때문에 뚫을 수 없으니,
프랑스
프랑스군
프러시아군
프러시아
스위스
적의 군대가 배치되지 않는 곳을 뚫어 적을 공격해야 돼.
그러자면 이 길밖에 없다!
프랑스
프러시아
스위스 (중립)
그러나 스위스는 중립인데….
지금 중립이 문제냐? 프랑스의 생사가 걸렸는데….
이래서 프랑스의 '부르바스키' 장군 지휘의 8만 5천 대군이
스위스의 중립을 무시하고 스위스 영토로 진격했어.
프랑스
도이칠란트
스위스군
스위스
부르바스키군
스위스는 즉각 긴급 대책을 논의,
프랑스의 '부르바스키' 장군이 이런 뜻을 보내왔소!
스위스 작전본부
願路向普
不願戰西
'프러시아로 가는 길을 원할 뿐, 스위스와 싸우는 것은 원하지 않노라.'
제가 무슨 도요토미 히데요시라고 조선 땅에서 하듯 길을 빌려달라, 어쩌라 그래?

이 답장을 당장 전하라!
휙
휙
쓱싹
不快可笑
死易道難
'불쾌하고 가소롭다,
죽기는 쉬워도
길 내주기는 어렵다!'

그럼에도 '부르바스키' 군은 스위스에
계속 진격했고
우리나라 생사가 걸려
있는 판에 허락받고
싸우게 됐냐?
진격!
스위스는 스위스대로
무슨 일이 있어도 우리 땅에
들어온 프랑스 군대를
몰아내야 한다!
그러지 않으면 우리의 중립은 무너지고
우리나라는 이웃 힘센 나라들의
전쟁 길잡이가 되고 만다!

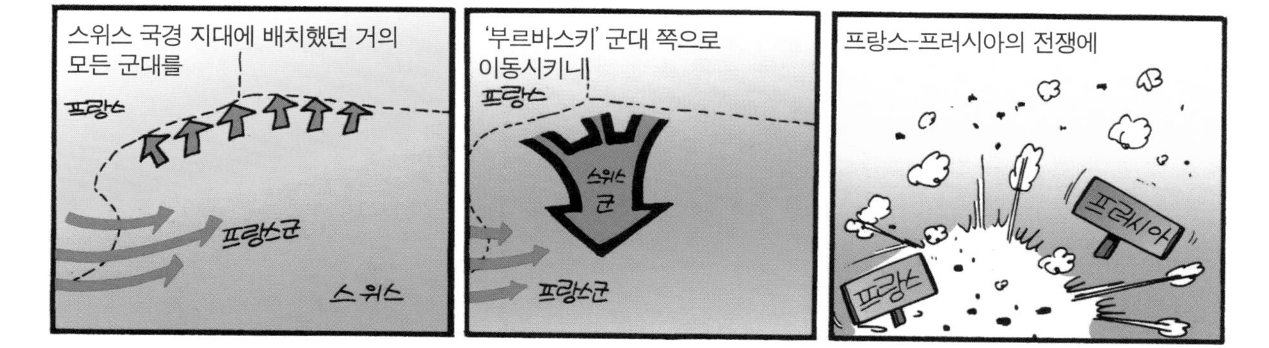
스위스 국경 지대에 배치했던 거의
모든 군대를
프랑스
프랑스군
스위스
'부르바스키' 군대 쪽으로
이동시키니
프랑스
스위스군
프랑스군
프랑스-프러시아의 전쟁에
프러시아
프랑스

난데없는 '프랑스-스위스 전쟁'이 터질
형편이었어.
죽어도 우리 땅
못 지나가!
양쪽 군대 숫자도 거의 비슷해
막상 전투가 벌어진다 해도 승패가
가름되기까지는 양쪽 모두 큰 피해가
예상되는 형편이었지.
이긴다 해도
이익 볼 건
하나도 없다.

부르바스키 장군은
우리의 적은 프러시아지 스위스가 아니다.
스위스의 길을 빌려 프러시아의 등을 치려 했으나, 스위스가 이처럼 목숨을 걸고 길을 막으니
계속 밀고 나가다간 프러시아 국경에 가기도 전에 군사만 크게 잃겠다!
필요 없는 전쟁으로 힘을 낭비할 때가 아니다, 후퇴다.
이래서 프랑스 군대는 무장을 풀고 스스로 스위스 영토에서 물러나니
스위스는 전쟁 직전의 위기에서 중립을 지킬 수 있었다.
휴우~ 큰일날 뻔했다.
스위스의 '중립'은
중
립
제1차 세계대전(1914~1918)이 터지자 크게 흔들리기 시작했어.
꽝
전세계가 두 패로 갈라져 싸우는 이 전쟁에서
영국, 프랑스 편이냐.
도이칠란트, 오스트리아 편이냐?
스위스라고 홀로 중립을 지킨다는 것은 어려운 일이었으나
소속을 밝혀라!
네 이름은 박쥐!
오랜 세월을 중립으로 버텨오는 동안
박쥐라도 좋다!
국민들은 조국의 중립을 지키기 위해 총을 잡을 준비가 단단히 되어 있었으니

다시금 '무장 중립'의 원칙이
분명해진 거지.
중립
전쟁이 일어나자 스위스 정부는
울리히 빌레 장군을 지휘관으로 임명,
철통 같은 국경 수비에 들어갔어.
프랑스
도이칠란트
국경
스위스

그런데 스위스가 제1차 세계
대전에서 끝까지 중립을 지키고
중
립
전쟁의 피해를 전혀 입지 않을
수 있었던 것은
뜻밖에도 '앙리 뒤낭'이 1864년에 세운
적십자의 덕을 톡톡히 본 때문이지.
적십자

적십자를 모르는 사람은 없겠지?
우리나라의 남·북 적십자
회담은 세계의 관심을 모았고
적십자사의 노력으로
고향 방문단은….
국경과 인종을 초월하여

적십자는 인도주의의 상징으로서
전세계에 골고루 퍼진 기관이지.
한국적십자
KRC
콩고
인도
러시아
페루
일본적십자
JRC
미국
볼리비아
이는 스위스 사람 앙리 뒤낭이 전쟁의
비참함을 뼈저리게 느끼고
이 비참한
현실을 그냥
바라보고만
있을 것인가!

온 인류의 양심과 인도주의에 호소하여
아무리 전쟁이라 하더라도 인간의 존엄성은 지켜져야 한다!
적과 친구의 구별 없이 인류의 공존과 평화를 위한 운동으로
인도주의 · 인간정신
나라나 민족끼리의 불화, 분쟁에 평화적인 해결의 길을 찾아주는 일을 하는데

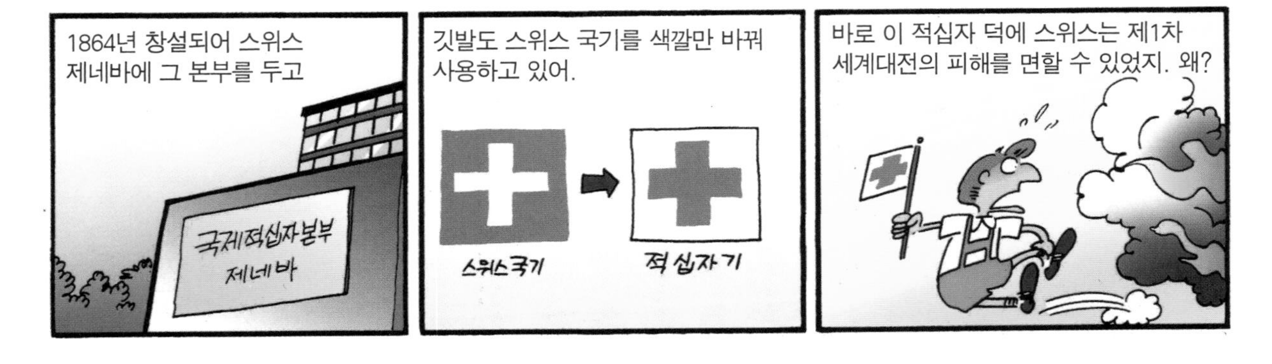
1864년 창설되어 스위스 제네바에 그 본부를 두고
국제적십자본부 제네바
깃발도 스위스 국기를 색깔만 바꿔 사용하고 있어.
스위스국기
적십자기
바로 이 적십자 덕에 스위스는 제1차 세계대전의 피해를 면할 수 있었지. 왜?

제1차 세계대전은 인류 사상 그 유례를 볼 수 없는 큰 전쟁으로
모든 나라들이 네 편, 내 편 두 패로 갈라져
죽이고 부수던 비참한 전쟁이었어.

특히 유럽이 완전히 두 패로 갈라져 싸우다 보니
연합군
동맹군
포로로 잡은 적군, 포로로 잡힌 아군 등을 바꾸는 포로 교환 문제,
또는 평화 회담 등 여러 가지 문제가 생겨

모두가 적 아니면 아군이니 이런 회담을 할 장소가 필요했거든.
야, 우리 얘기 좀 하자!
좋다!
너희가 우리에게 와라!
싫다, 널 어떻게 믿니?
그렇다면 우린 너흴 어떻게 믿고 그리 가니?
그렇담….
적도 아군도 아닌 데서 하자!
좋다! 중립국이다!
중립국이었던 스위스는
우리나라를 기꺼이 회의 장소로 제공하겠다! 더구나 우린 적십자의 나라 아니냐?
이래서 스위스는 전쟁하는 나라들의 회담 장소로 전쟁의 피해를 면할 수 있었던 거야.
1870~1871년의 프랑스-프러시아 전쟁,
그리고 1914~1918년의 제1차 세계대전에서도
교묘히 무장 중립을 지켜 전쟁을 피할 수 있었던 스위스였으나
중립
1939년에 제2차 세계대전이 터지자 사정은 크게 달라졌어.
프랑스-프러시아 전쟁이나 다른 이웃 나라끼리 싸움을 벌이면
와당탕 퉁탕
!
모든 군대를 그쪽 국경으로 보내
도이칠란트
프랑스
군대
스위스
이탈리아

다른 군대가 스위스 땅에 들어오는 것을 막음으로써 중립을 지킬 수 있었으나
중 립
2차 대전을 일으킨 나치 도이칠란트는
무솔리니가 영도하는 이탈리아와 손을 잡고
중립

단숨에 프랑스를 점령하니
스위스는 동서남북으로 동맹군에 둘러싸이게 되어
스위스
군대를 보내 국경을 지킨다는 것이 불가능해져 버렸다.
모든 국민을 내보낸다 해도 국경 전부를 지킬 순 없다.

동맹군에 완전히 포위되다시피 하니
도이칠란트
스위스
나치에 합병된 오스트리아
점령된 프랑스
이탈리아
지금까지의 무력 중립 작전은 전혀 쓸모없게 되었어.
히틀러는
헤헤… 요 생쥐 같은 것들, 중립 좋아하네!

당장 무릎 꿇고 고분고분 말을 듣지 않으면
온 스위스를 단숨에 탱크로 깔아뭉갤 테다!
사실상 동맹국인 이탈리아로 가는 알프스 통로를 차지하기 위해 히틀러가 침공을 서두르자

스위스로서는 큰 위협일 수밖에.
만약 이제 와서 우리가 중립을 버리고 나치에게 길을 내준다면
우리나라는 두고두고 강대국의 전쟁터가 될 것이다!
그러나 우리같이 조그만 나라가 어찌 우리를 둘러싼 나치, 이탈리아와 맞서 싸운단 말이오!
우리에게 남은 길은 오직 하나!
너 죽고 나 죽자는 식으로 싸워야 하오! 우리 시체를 넘기 전에 적이 한 발짝도 우리 땅을 딛지 못하게 해야 하오!
우리에겐 하늘이 준 무기가 있소! 바로 저 험준한 알프스 산맥이오!
스위스는 히틀러에게 경고했다.
보소!
보고 있어!
쥐도 급하면 고양이 문다는 거 아쇼?
핫핫핫!
쥐에게 물리는 게 무서워서 도망친 고양이도 있는가?
안 통하네.
보… 보소!
보고 있다니까?
고양이가 쥐를 잡는 건 목적이 있기 때문이 아니오?
고기를 먹으려고 그러지.
쥐를 잡아도 고기를 못 먹게 되면?
무슨 소리야?

쥐가 고양이에게 잡히기 전에 독약을 먹어 버리면?
……?
독약 퍼진 고기라 먹지 못할 게고 헛수고한 게 되지요?
……?
더구나 죄 없고 힘없는 쥐를 잡은 고양이는 악당으로 욕이란 욕은 있는 대로 다 먹을 테고….
당신네가 스위스를 침략하려는 이유는 이탈리아로 가는 알프스 통로를 차지하려는 속셈 아니오?
만약 당신네 군대가 우리 국경을 한 발자국이라도 넘는다면….
그 순간에 이미 이탈리아로 가는 알프스의 통로는 모두 박살이 나 있을 게요. 우리 손으로 폭파시켜 버린단 말이오!
무슨 말인지 알겠소? 우리 국경을 침범하면….
……?
우리 손으로 모든 알프스 통로를 파괴해버릴 것이니 우리도 당신네도 알프스는 못 넘게 되오! 로마 시대부터 이어져온 인류 문명의 핏줄이 콩가루가 된단 말이오.
하~ 요 조그만 것들이 감히 나에게 공갈 협박이야!
생각해봐! 우린 이판사판이야!
이 녀석들 정말 알프스 통로를 파괴할 기세네….
너 죽고 나 죽자! 이판에 무슨 짓인들 못해?
…….

알프스 통로 없는 스위스는 우리에겐 쓸모없는 땅인데, 그렇게 되면 우리는 침략자로 욕만 먹고 헛고생하는 거 아냐?
이… 이봐!
이거 봐!
나 성질났어, 못 참아!
차… 참으라니까… 자기 착하지? 까꿍!
내가 그냥 농담 한번 해본 거야! 나처럼 평화를 사랑하는 사람이 중립 국가인 너희를 건드릴 리 있어?
농담도 함부로 하는 거 아냐. 내 이번은 봐줄 테니 앞으로 조심해! 알았지?
아… 알았쪄.
험준하고 아름다운 알프스. 이 덕분에 스위스는 다시 한 번 전쟁을 피해 중립을 지킬 수 있었다.
제2차 세계대전이 끝나고 다시 평화가 찾아오자
스위스는 다시 한 번 중립국을 다짐.
누가 뭐래도 우리는 중립이다!
중립을 지킨 덕에 그 숱한 전쟁을 모두 피하고 이처럼 피 한 방울 안 흘리고 잘 지내온 거야. 암, 우리는 중립!
그러나 총탄과 포탄이 터지는 전쟁이 끝난 대신
미국과 소련을 중심으로 새로운 전쟁이 시작되었으니
자유 진영과 공산 진영 사이의 사상 싸움인 '차가운 전쟁' 즉 냉전이었지.
베를린 장벽

미국은 영국, 프랑스, 서도이칠란트 등과 '나토'(NATO : 북대서양 조약기구)란 군사 동맹을
미국
서도이칠란트
영국
네덜란드
프랑스
나토
노르웨이
등등
에스파냐
이탈리아
그리스
소련은 폴란드, 동도이칠란트 등 공산 위성 국가들과 '바르샤바 조약기구'란 군사 동맹을 맺으니
소련
동도이칠란트
폴란드
바르샤바 동맹
루마니아
헝가리
체코슬로바키아
등등
유럽은 또다시 두 갈래로 갈라져
유럽
자본주의
공산주의

미국 편에 서느냐
아니면 소련 편에 서느냐로 나뉘게 되었는데
스위스로서는 또 한 번의 심각한 갈림길에 서게 된 거야.
미국
소련

미국 편에 서서 '나토'에 가입하느냐
소련 편에 서서 '바르샤바 동맹'에 가입하느냐
또는 계속 중립을 지킬 것이냐를 두고 스위스 국민은 심각한 고민을 했어.

우리는 자본주의 국가다. 그러므로 소련과 손잡는 것은 결코 원하지 않는다!
오늘날 세계의 군사, 경제를 사실상 지배하는 미국과 손을 잡지 않을 수 없는 형편이다!
USA
그러나 미국과 손을 잡음으로써 이웃의 공산 국가들과 적대 관계를 갖는 것은 조금도 이익될 것이 없다!

와글 와글
시끌
시끌
스위스국회
우리는 길고 진지한 토론을 거듭한 결과
우리가 수백 년 지켜온 원칙을 지켜 계속 중립으로 남을 것이다!
중립

미국을 비롯한 '나토' 국가들과 소련을 중심으로 한 공산 국가들이 다투어 무기 생산을 늘리는 사이
우리는 중립과 우리의 안전을 지키기 위하여
그 어느 나라보다 최신 무기로 우리를 무장할 것이다!

이래서 스위스는 계속 무장 중립국으로 남게 되는데
CH
중립
무기 사들이는 데 엄청난 돈을 쏟아부어
돈은 얼마든지 있다! 최신 무기, 최고 무기로만 사들이자!
이 조그만 나라 스위스가 놀랍게도

세계에서 최신 무기로 가장 든든히 무장한 나라라는 거야.
탱크: 도이칠란트제 신형 레오파트 II
전투기
미제: 신형팬텀
프랑스제: 미라주
중립국 스위스는 또 하나의 문제에 부딪히는데
그것이 바로 유엔(UN)에 가입하는 문제였지.
국 제 연 합
United Nations

'유엔'은 누구나 잘 알고 있듯이
제2차 대전 후 세계 여러 나라가 국제 문제를 다루기 위해 만든 '국제연합'으로
우리 모두 한자리에 모여 얘기합시다!
지금은 세계의 거의 모든 나라들이 회원국으로 가입되어 있어.
유엔 회원국이 몇인지 아는 사람?
그러나 이 유엔 역시 미국을 중심으로 한 자유 국가들,
찬성!
이스라엘
미국
영국
호주
소련을 중심으로 한 공산 국가들,
반대!
헝가리
체코
폴란드
소련
그리고 미국 측도 소련 측도 아닌 파로 나뉘어 서로의 이익만을 다투는 기구가 되어버린 데 스위스의 고민이 있었던 거야.
찬성
기권
반대
미국
소련
자, 세계의 모든 나라가 한데 모이는 유엔에 우리만 빠질 수도 없고
유엔에 가입하자니
미국 편도 소련 편도 들 수 없는 게 중립인 우리의 입장이다.
소련
미국
그렇다고 미국 편, 소련 편도 아니라는 이른바 제3국가들은
미국편
제3세력
소련편
아프리카, 아시아, 남아메리카의 후진 개발 국가가 대부분이라
그들과 발맞춘다는 것도 우리로서는 어려운 일이다.
입장이 너무 다르니까….

그렇다면 유엔이란 데가 이 세 세력이 서로 다투는 곳인데,
소련이 나쁘다!
나는 몰라!
미국이 나쁘다!
번번이 기권만 하는 것도
기권
유엔에 가입하는 목적에 어긋나는 것이다.
어차피 어느 한쪽에 기울어지기 쉽다.

그렇다면?
유엔에 가입해서 공연히 입장만 난처해질 필요 없이
우리는 유엔에서조차 손을 떼 철저한 중립을 지키겠다!

이래서 당시 스위스는 유엔 가입을 포기하는데, 2002년에야 국민 투표로 유엔 가입을 결정하지.
유엔
아마 유명한 스위스가 최근에야 유엔 회원국이 되었다는 걸 아는 사람은 드물걸?
그래애?
세계에서 꽤 알려진 나라 치고
적어도 국민 소득 1만 달러가 되는 나라 가운데…

스위스처럼 늦게 유엔 회원국이 된 나라는 없을 거야.
1991년가입
←타이완은 중국유엔가입으로 자진탈퇴
우리나라와 스위스의 큰 차이점이라면
우리나라는 오래전부터 유엔에 가입하려고 애써왔으나
신청서
유엔

구소련의 방해로 뜻을 못 이루다가 1991년에야 가입했지만
안돼!
비토
(거부권)
스위스는 모든 나라가 가입을 권고하는데도
너희 같은 나라가 빠지다니 말도 안 돼!
어서 와! 나랑 놀자!
스스로의 중립과 이익을 위해
가입을 거절해왔던 거지.
노!
스위스가 미리 계산을 하고 그동안 유엔 가입을 안 했는지는 몰라도
히히히!
그 덕택에 엄청난 이익을 누려왔는데 그 보기를 들까?
내가 미쳤어? 유엔 가입 안 한 덕에 보는 이익이 얼마나 큰데….
스위스는 유엔에 가입하지 않는 대신
유엔은 정치적 기구이므로 우리의 중립 정신에 어긋난다.
그러나 평화와 문화에 기여하는 유엔의 기구에는 기꺼이 발을 맞추겠다!
우리는 착하고 좋은 것만 골라 하는 천사 나라, 히히….
예를 들면 '유네스코'같이….
유네스코 UNESCO (유엔 교육과학 문화 기구)
자, 이래 놓으니….
스위스는 중립국! 평화의 나라!
회원국은 아니지만 기꺼이 협력을 하는 나라!
유엔의 그 많은 기구들이 부지기수로 본부를 스위스에 두게 되어
소련은 싫다!
미국도 싫다!
그럼 스위스!
좋다!

스위스는 유엔의 회원국도 아니면서
힛힛힛!
유엔
중요한 유엔의 기구는 거의
모두 자기 나라에 끌어들여
유
엔
스위스
유엔의 유럽 본부를 비롯하여 사실상
유엔은 스위스를 심장으로 삼게 되니
UN
경치 좋고.
교통 좋고.

그 많은 기구들이 번갈아가며
거의 매일 세계적인 회의를 열고
국제노동기구회의
세계 경제
세계은행회의
세계보건 회의
올림픽 위원회
세계우편연맹대회
이 회의에 참가하기 위해 세계
방방곡곡에서 손님이 스위스로
쏟아져 들어오고 있어.
이들이 내는 호텔비, 식사대, 관광비
등의 외화 수입이 어떨지는 짐작이 갈
거야.
만원
빈방 없음
스위스에 자리잡은 국제 기구를
들어볼까?
우선 유엔의 유럽 본부(제네바).
유엔 세계본부
뉴욕
유엔 유럽본부
제네바
유엔 난민 고등 판무관 사무소(UNHCR)
-제네바.
도와주오!

유엔 아동 기금(UNICEF : 유니세프)
-제네바.
UNICEF
유럽 경제 위원회(ECE)
-제네바.
$
국제 전기 통신 연합(ITU), 세계 기상 기구
(WMO), 국제 노동 기구(ILO)- 이상 모두
제네바.
International Telecommunication Union
World Meteorological Organization
International Labour Organization

관세 무역 일반 협정(GATT : 가트)
-제네바.
지금은 WTO로 바뀌었지만.
세계 보건 기구(WHO)-제네바.
알코올은 건강에 해로우므로 조금만 마십시다!
WHO
만국 우편 연합(UPU)-베른.

유엔 무역 개발 회의(UNCTAD)
-제네바.
UNCTAD
그리고 유명한 국제 올림픽 위원회
(IOC)-로잔.
I.O.C.
그리고… 그리고… 그리고… 헤아릴 수 없이 많은 국제 기구가 스위스에 자리 잡고 있어.

수십 개가 넘는 국제 기구가 1년에 한 번씩만 회의를 연다고 쳐 봐.
제28차
세계 우편통신회의
이 회의에 참가하기 위해 수백 명의 회원이 세계 곳곳에서 모이고
180개 나라에서
대표 2명만 보내도
180×2 = 360명
또 이런 정도의 손님이면 자기 나라에선 명사급에 속하는 고급 손님인지라
아무려면 말단 직원을 세계 대회 대표로 보내겠소?
VIP

이들이 먹고 자고 마시고, 구경하고 쇼핑하는 데 쏟아놓고 가는 돈이란
자기 돈 내고 와서 회의에 참석합니까?
우리가 상상도 못할 엄청난 액수일 뿐더러
아니 그럼 우리 스위스가 미쳤다고 공짜로 재워주고 먹여줍니까?
이런 커다란 국제 회의가 거의 매일같이 끊이지 않아서
우리 스위스 사전에 '공짜'란 말은 없다!

이들 국제 회의에 참가하는 외국
손님들이 뿌리고 가는 외화만으로도
쇼핑
관광
식사대
호텔비
7백만 스위스 국민이 충분히
먹고도 남을 액수에 이르러
$
스위스가 세계에서 가장 부자 나라가
되는 데 아무런 문제가 없는 거야.
스위스
미국
도이칠란트
프랑스
영국
국민소득

거기에 세계의 돈은 스위스
은행으로 흘러들어
$
$
스위스은행
그 돈으로 스위스는 돈놀이를 해서
엄청난 돈을 벌어들이니
빚
이자
세계 곳곳에서 굶어 죽는 사람이
수두룩한데 스위스는 돈이 남아도는
형편이지.
금고가
모자란다!
끄르르륵

중립국인 덕에 세계 국제 기구가
스위스에 몰려 있는 것 말고도
ILO
UPU
UNCTAD
IOC
GATT
ECE
WHO
WMO
ITU
UNHCR
UNICEF
스위스가 중립 국가인 덕을
단단히 보는 것은
중립
나라와 나라 사이에 분쟁이 생기면

으레 찾는 곳이 중립국인
스위스로 되어 있는 것이지.
제네바에서
만나
얘기하자!
과거에 공산 국가와 자유 국가의 높은
사람들이 처음 만나 얘기하던 곳은
스위스야.
중립국에서
만나자!
쪼와!
공산주의가 무너지기 전 미·소 정상
회담이 열린 곳이 스위스였고
미·소 정상회담

베트남 전쟁 때 미국과 월맹이 만난 곳도 스위스
세계 석유 생산국들이 만나 회의하는 곳도 물론 스위스
석유 값을 내리겠다!
올림픽 개최를 두고 남·북한 대표가 만난 곳도 스위스의 로잔이야.
동무! 우리 평양에서도 올림픽 경기 일부를 할 수 있게 해주소….
이처럼 국제 회의, 국제 회담이 끊이지 않고
제네바 일보
오늘의 회의
만국 우편연합(UPU)총회
오전 10시 - 450명 참가
총회
오후 2시
개발기구
280명 참가
외국 손님이 무더기로 찾아와 돈을 뿌리고 가니
스위스는 말하자면 세계의 고급 호텔인 셈이고, 그 주인이 부자인 건 당연하지.
HOTEL
호텔 스위스
초만원 사례
자, 이처럼 스위스가 철저한 중립 정책을 지켜오고
중립
또 수백 년 동안 중립과 자신의 안전을 위해 싸워오다 보니
어딜 기어 올라와?
스위스 사람들 머릿속에는 한 가지 공통된 생각이 깊이 뿌리박게 되었어.
그거….
응, 바로 그거!
그것은 철두철미한 '안전 제일'이야.
안전 제일
끄덕 끄덕
끄덕 끄덕
돌다리도 두드려보고 건너라!
유비무환…
미리 준비를 갖춰놓으면 뒤에 걱정이 없다.

그러나 스위스의 전쟁 준비는 남을 침략하거나 공격하기 위한 준비가 아니라

남이 공격해 오거나 전쟁이 터졌을 때 자신을 보호하고 적을 막기 위한 준비로,

CH

세계 그 어느 나라도 스위스만큼 철저한 준비를 한 나라가 없어.

군인과 무기만 많으면 제일이냐? 적을 막을 수 있는 준비가 더 중요하다!

우선 무기만 해도 이미 얘기한 대로 세계 최신, 고성능 무기로 단단히 무장하고
전쟁이 터졌을 때 국민들의 안전 대책이 철저해서
공공 건물이나 큰 건물에는 두꺼운 철근 콘크리트로 된 지하 대피소가 있어.
지하대피소
학교
병원
아파트
등등
이곳에서 밖에 나오지 않고도 한 달 이상 버틸 수 있도록
잠자리와 한 달 이상 먹을 수 있는 비상 식량,
식량
그리고 화장실은 물론 오락 시설까지 갖춰놓아 처음 보는 외국 사람들은 놀라 벌어진 입을 다물 줄 모르지.
식량보관소
화장실
목욕실
오락실
세계에서 예를 찾기 어려운 스위스의 지하 방공 시설은
얼핏 보기엔 평범한 지하실 같지만
우선 30cm에 이르는 두꺼운 쇠문이 놀랍고,
이런 쇠문이 하나도 아니고 여러 겹으로
웬만한 원자탄이 터져도 끄떡하지 않을 단단한 지하실이야.
쿵
꽤 큰 폭탄이 터졌나 보지?
더욱 대단한 것은 만약 이 지하실이 파괴되거나 위험해질 경우

비상 통로로 다른 지하실로 대피할 수 있도록
거미줄 같은 땅굴이 이어져 있다는 거지.
지하실 A
B
지하통로
(콘크리트 땅굴)
C
D
E
이 정도의 준비가 되어 있으니
어디, 누구든 우리를 칠 테면 쳐봐라!
CH
STOP
자신 있게 중립 정책을 밀고 나갈 수 있는 거야.
중립
STOP
중립… 평화… 이것은 결코 입으로 이루어지는 게 아니다!
피땀 흘려 물 샐 틈 없는 준비를 갖추었을 때에야 비로소 누릴 수 있는 것이다! 땀 흘려 일하지 않은 자는 달콤한 열매를 맛볼 자격이 없다!
그런데 요즘에 와서
수백 년을 지켜온 스위스의 '무장 중립' 정책이
중립
CH
뿌리부터 흔들리기 시작했어.
중립
CH
새로운 주장이 크게 고개를 든 거야.
새로운 주장이란
이제 우리 스위스가 무장을 한다는 것은 아무런 의미가 없다!
무장을 풀고 '비무장 중립'으로 정책을 바꾸자!

많은 사람들이 당연히 펄쩍 뛰었지.
그… 그게 무슨 뚱딴지 같은 소리냐?
수백 년을 우리가 중립을 지켜올 수 있었던 것도
우리나라가 스스로를 지킬 수 있는 든든한 무기와 군대가 있었기 때문인데
이제 와서 무기와 군대를 버린다면
우리의 안전과 중립을 스스로 포기하는 것이 아닌가?
그렇다면 '비무장 중립'을 주장하는 사람들은 어떤 이유에서일까?
우리가 스위스의 무장을 포기하고 비무장을 주장하는 것은 여러 가지 이유에서다.
첫째, 전쟁의 성격이 달라졌다!
제2차 세계대전만 해도 이른바 구식 전쟁으로
비행기, 탱크, 대포 등을 사용하여
국경을 넘어 적을 공격하여
A 나라
국경
B 나라
전투로 힘을 겨룬 다음

힘센 군대가 약한 군대를 누르고
적지를 점령하는 방법이었다.
따라서 적이 우리의 국경을
침범하지 못하도록
군대와 무기로 우리의 중립과
안전을 지킬 수 있었다.
그러나 오늘날에 와서는 우리가
엄청난 돈을 들여 사들인 무기가
차츰 쓰잘 데 없는 한낱 고철덩이로
변하고 있다. 왜냐?
오늘의 전쟁이 핵무기 전쟁이기
때문이다.
이제 만일 전쟁이 터진다면
옛날과 같은 탱크, 비행기, 대포로
싸우는 전쟁이 아니라
바로 '단추'의 전쟁이다.
오늘날 무기는 무섭게 발달하여
모스크바에 앉아 미국의 도시들을
파괴할 수 있는가 하면
모스크바
워싱턴에 앉아 이라크를 콩가루로
날려버릴 수도 있다.
워싱턴

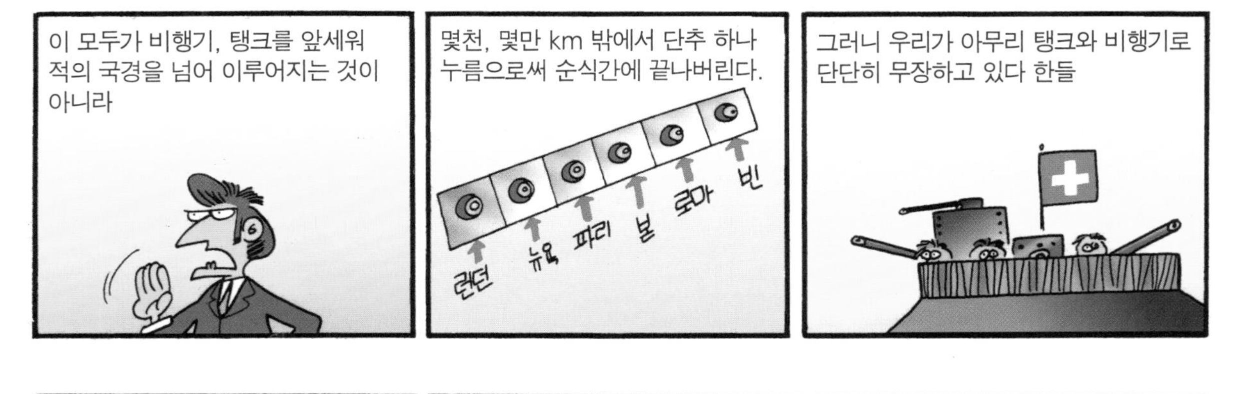
이 모두가 비행기, 탱크를 앞세워 적의 국경을 넘어 이루어지는 것이 아니라
몇천, 몇만 km 밖에서 단추 하나 누름으로써 순식간에 끝나버린다.
런던
뉴욕
파리
본
로마
빈
그러니 우리가 아무리 탱크와 비행기로 단단히 무장하고 있다 한들

그 어느 나라가 우리 스위스를 공격할 마음만 먹는다면
국경을 넘고 자시고 할 것도 없이 단추 하나 누르면 미사일이 날아와 나라를 송두리째 가루로 날려버릴 수 있으니
옛날식으로 아무리 국경을 지킨다 해도 아무런 의미가 없다.

또한 현대는 무시무시한 핵무기 시대요, 단추 시대인 만큼
대륙간
탄도탄
꾹
앞으로 벌어질 전쟁은 오래 끌 것도 없이
단 몇 시간 만에 결판이 날 것이다.

그런 만큼 앞으로의 전쟁에는 이긴 자도 진 자도 없다.
가공할 핵무기의 위력으로 남는 것은 승자도 패자도 없는 오직 처참한 파멸뿐이다!
그러니 스스로의 파멸을 각오하면서 섣불리 전쟁을 시작할 자는 그 누구도 없다.
발사

이것은 무슨 얘기냐….
이제 유럽에는 옛날 같은 구식 전쟁은 사라지고
타다다다
전쟁이 일어나면 전 유럽이 한꺼번에 파멸하는 단 한 번의 전쟁일 것이며
이 전쟁이 터진다면 국경도 중립도 아무것도 없는 모든 유럽의 종말이 온다.
유럽
따라서 유럽의 나라들은 공동 운명을 지니게 되었고 전쟁이 안 일어나도록 크게 조심하게 되었다.
전쟁? 노!
이런 판에 탱크, 대포 따위로 계속 무장한다는 것이야말로 어리석지 않은가!

단추 하나로 모든 것이 끝나는 오늘의 핵무기 시대에,
우리 스위스같이 조그만 나라가
제아무리 많은 돈을 쏟아부어 최신 무기를 사들인다 해도

군사적으로 이미 '국경'의 의미가 없어진 이상
국경
무기를 사고 전투기를 사고 하는 데 엄청난 돈을 쏟아붓는다는 것은
우리의 중립과 안전을 지키는 데 전혀 도움이 되지 않고 의미도 없다!

따라서 우리는 무기 사는 데
돈 쓰는 어리석은 짓을 당장
그만두고
그 엄청난 돈을 국가 발전으로
돌려 국민들의 복지를
위해 써야 한다.
그리고 전쟁이 나지 않도록 평화 운동에
앞장서서 전쟁 방지에 돈을 쓰는
편이 현명하다!
즉 지금까지의 '무장 중립'에서
무장
중립
'비무장 중립'으로 우리의
정책을 바꾸어야 한다!
비무장중립
끄응…!
그것도 일리 있는
얘기다.
끄덕 끄덕
'비무장 중립'이라면,
나라를 지킬 무기와 군대를 버리고
벌거숭이로 '나 중립이오' 하고
나서잔 말인가?
유럽의 그 어느 나라도 전쟁을
원하지 않고 평화를 추구하며
우리의 중립을 존중하고 있고
남의 나라 국경을 침범하려는
시도 따위는 결코 하지 않소.
만약 우리가 무기를 버린다면
핵무기를 가진 미국이나 프랑스 같은
강대국이 시키는 대로 복종해야 하니

이 기회에 우리도 보호용 핵무기로 우리의 무장을 더욱 든든히 함이….
보호용 핵무기란 있을 수 없소! 그건 핑계에 지나지 않아요!
핵무기란 파괴가 목적이오, 결코 우리를 보호할 수 없소. 핵무기는 모든 것을 파멸시킬 뿐….
적이 우리를 핵무기로 공격할 때 우리가 가진 핵무기로 이를 막을 수 없고
우리가 다시 핵무기로 반격했을 때 이 또한 '보호'가 아닌 '보복'일 뿐이오.
따라서 평화와 중립을 표방하며 핵무기를 갖는다는 건 말도 안 되오!
이래서 무장을 포기하고
비싼 돈 들여 무기 사들이는 건 쓸데없는 짓.
비무장 중립을 주장하는 의견과
비무장 중립
그래도 무장을 풀어선 안 된다는 의견이 크게 맞서
큰일날소리!
스위스는 온통 시끌시끌 야단이지.
왁
무장!
비무장!
시끌
시끌
왁
무장을 고집하는 사람들은
당신네 비무장 주장도 일리는 있다.
그러나 아무리 핵전쟁 시대라도 세계 여러 나라에선 구식 무기를 쓰는 전쟁이 끊이지 않는다!

더구나…
군대라는 게 어디 외국과의 전쟁을 위해서만 필요한가?
세계의 거의 모든 나라들이 전쟁이 없는 데도 군대의 훈련을 게을리하지 않는 건
외국보다 오히려 국내의 질서 유지 때문이오!
정치를 하다 보면 반란이나 폭동이 일어날 수도 있고
군대가 나서지 않으면 안 될 만큼 심한 데모가 날지도 모르오!

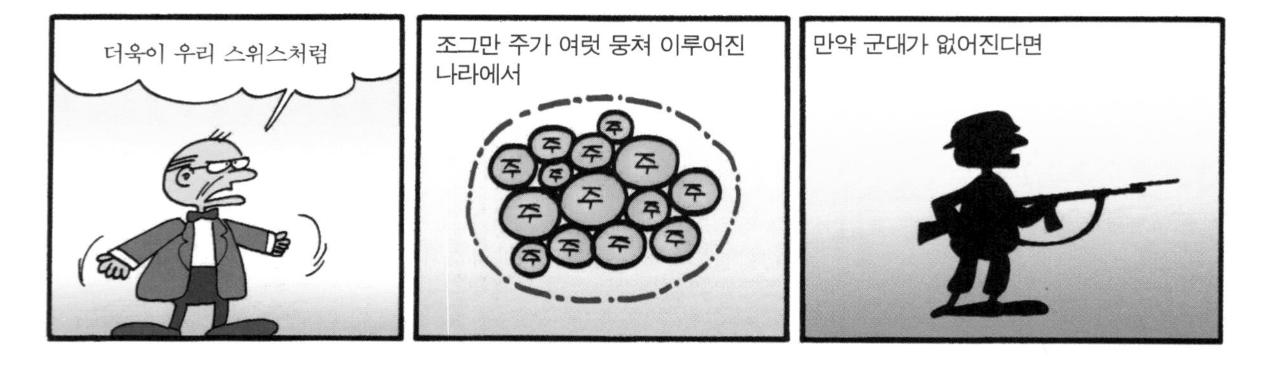
더욱이 우리 스위스처럼
조그만 주가 여럿 뭉쳐 이루어진 나라에서
주
만약 군대가 없어진다면

중앙 정부에 불만을 품은 주가
스위스
동맹
동맹을 깨뜨리고 제멋대로 굴어도 이를 다스릴 힘이 없게 되오.
독립
안놀아!
따라서 우리 스위스의 동맹을 더욱 굳게 하고 스스로의 안전을 지키려면
돌아가!

군대가 반드시 필요하오!
옳으신 말씀!
우리의 주장은 스위스의 군대를 아주 없애자는 것이 아니라
나라의 질서를 지키는 데 필요한 정도로 군대의 숫자를 줄이고
나라 안 질서 유지에 필요 없는 탱크, 전투기, 대포 따위를 더 이상 비싼 돈 들여 사들이지 말고
그 돈을 국민 복지나 문화 사업으로 돌려 비무장 중립을 하자는 거요!
스위스는 비무장 중립국이 되어야 한다는 주장과
비무장
계속 최신 무기로 무장해야 한다는
무장
두 주장이 팽팽히 맞서서
온 스위스가 떠들썩한데
와글 와글
와글
스위스의 나이 든 사람들은
그야 당연히 단단히 무장해야지. 안전 제일!
그러나 젊은층은
비무장 중립이 옳다!

좀처럼 국민들의 뜻이 모아지지 않자
무장!
비무장!
비무장!
무장!
스위스 정부는
그럼 좋다!
국민들 스스로 민주주의 방식으로 결정하면 되지 않는가?

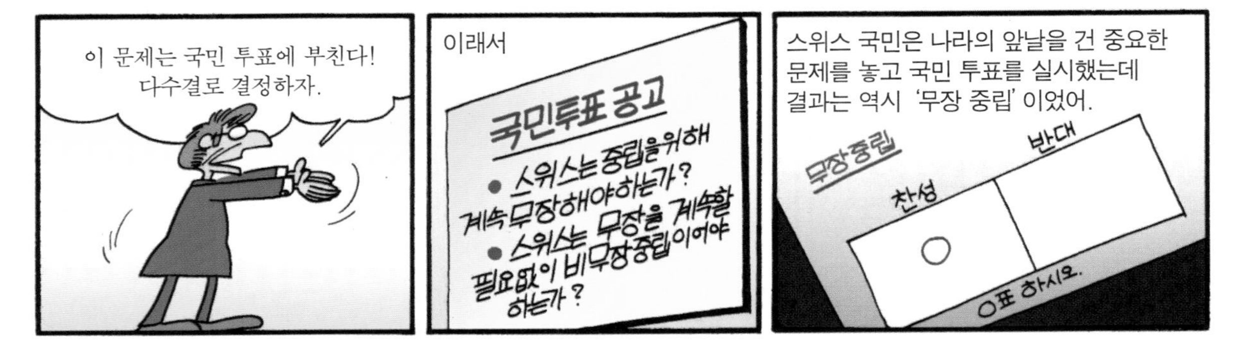

이 문제는 국민 투표에 부친다! 다수결로 결정하자.
이래서
국민투표 공고
● 스위스는 중립을 위해 계속 무장해야 하는가?
● 스위스는 무장을 계속할 필요없이 비무장 중립이어야 하는가?
스위스 국민은 나라의 앞날을 건 중요한 문제를 놓고 국민 투표를 실시했는데 결과는 역시 '무장 중립' 이었어.
무장중립
찬성
반대
○표 하시오.

스위스의 비무장을 젊은이들이 크게 환영한 것은
비무장 중립
찬성!
바로 병역의 의무에서 해방되고 싶기 때문이었어.
병역
병역 의무라니? 스위스 사람들도 군대에 갑니까?

스위스에는 예비군만 있고 군대엔 안 가도 되는 줄 알고 있었는데….
이렇게 얘기하는 사람이 많은데
물론 옳은 얘기야.
예비군
상비군

스위스에 군대가 있긴 하지만
이들은 아주 적은 숫자로 모두 장교 아니면 하사관 등 직업 군인뿐이고
장교·하사관
스위스 국민은 우리나라처럼 일정 기간 동안 군대에 갈 필요가 없지.
소집영장
훈련소

모두가 직업 군인뿐인 것은 일본도 마찬가지지만
일본은 병사까지 자원해서 입대한 직업 군인인 반면
일본자위대 병사모집!
월급도 많고 휴가도 많은 자위대에서 당신의 미래를 설계 하시라!
스위스엔 장교, 하사관만 직업 군인이고 병사들은 군대에 안 간 예비군이야.
우리는야 예비군~

스위스 청년들은 군대에 안 가니
회사
그것 참 편하다고 생각하는 사람이 있겠지만
우리는 2년씩 군대 생활 하는데…
사실은 그게 아니올시다야.

스위스가 무장 중립국이지만
중립
군인은 그 숫자가 겨우 몇 천도 안 될 정도로 아주 적은지라
프랑스
영국
스위스
몇십만씩 군대를 가진 이웃 나라에 비하면 없는 거나 다름없어.
도이칠란트
이탈리아

그러나 나라가 위험해질 경우
국민 모두가 순식간에 군인으로 바뀌는
철저한 예비군 제도가 갖춰져 있지.
따라서 탱크, 비행기, 대포 등 특수 기술로만 다룰 수 있는 무기를 맡을 군인,
예비군을 지휘하고 훈련시키는 군인, 그리고 장군 장교들,
앞으로이~ 갓!
이들만 봉급 받고 근무하는 직업 군인이고 나머지는 모두 예비군이야.
핫 둘! 핫 둘!
스위스 남자는 20세가 되면 32세까지 현역에 편성되고
33~42세는 예비역에 편성되며
병역의무
예비군
50세까지 보충대기역으로 자신의 고향과 스위스에 위험이 생기면 나가 싸울 의무가 생기는데
55세가 되어야만 예비군의 의무에서 벗어나게 된다.
남들은 2년씩 군대 생활하는데
군대 안 가는 것만 해도 그게 어디야? 그까짓 예비군이 뭐가 힘들어서….

이렇게 말하는 사람도 있겠지만
스위스 청년들은 사실상 다른 나라 군대 못지않게 예비군 훈련을 받아야 해.
20세부터 42세가 될 때까지

매년 20일 이상 군복을 입고 군대 생활을 해야 하며
하낫 둘
한 달에 한 번 정도 정기 훈련이 있으니 상당히 긴 군인 생활인 셈이지.
하낫 둘
차라리 1~2년 한꺼번에 군대 생활 하고 싹 잊어버리는 게 속 편하겠다!
스위스 남성들은
평상시엔 직업에 종사하는 시민이지만
비상벨이 울리면

어느새 집에 마련되어 있는 군복으로 갈아입고
자기가 맡아야 할 곳으로 달려가니
2중대 7소대!
직업 군인 이외의 군인이라곤 눈 씻고 보려야 보기 힘든 스위스에서

전쟁이나 위급한 일이 터지면
애앵~~~
비상~~~!
48시간 안에 110만 명의 잘 훈련된 현역 군인으로 무장되는
믿기 어려울 만큼 신속하게 향토와 국가를 지키는 제도가 발달되어 있어.
예비군 제도, 끝내줍니다!

더욱이 놀라운 사실은
예비군들은 실탄이 든 총을 자기 집에 보관해도 되는데
아직까지 총기 사고가 생긴 적이 없다니 비록 예비군이지만 얼마나 무서운 군대를 스위스가 갖고 있는지 알 만하지?

스위스 남자들에겐 매년 20여 일의 집단 예비군 훈련이 무척
입영 통지서
거추장스럽고 귀찮을 것 같지만
벌써 또 때가 됐나?
그리고 일상생활이나 생계에 방해가 될 것 같지만
돈은 언제 벌라고…. 쳇!
사실은 그렇지 않은 것이
입영 통지서
모든 것을 나라에서 보살펴주기 때문에
마침 근질근질 하던 참인데….
마음 놓고 운동 삼아 훈련받으러 갈 수 있다고.
다녀오리다!

우선 1년 중 자기가 훈련받고 싶은 기간을 마음대로 고를 수 있고
1 2 3 4 5 6 7 8 9 10 11 12
사정이 있으면 얼마든지 기간을 바꿀 수 있으며
우리 애가 갑자기 병이 나서….
장기간 외국 출장을 간다든지

병원에 입원해 있다든지
대학 졸업 시험 등 특별한 사정이 있는 경우엔
그해의 예비군 훈련을 면제받을 수 있어.
한스 디터 귀하
귀하의 사정이 이유있다고 인정되어 금년도 훈련을 면제함.
예비군사령관

만약 '한스'란 스위스 청년의
하루 수입이 20만 원이라고 치면
뭐 그렇게 많아?
많긴? 스위스에선 보통이지.
20일 동안 훈련받을 경우 일요일을 빼고 18일
하낫 둘 하낫 둘!

20만×18=360만 원 즉 360만 원의 수입이 줄게 되지?
훈련소
그러나 한스가 웃으며 훈련에 참가할 수 있는 것은
나라에서 그 반인 180만 원,
나라를 위해 봉사하는 것이니 마땅히 그로 생긴 손해는 나라가 반을 물어 주어야 한다.

한스가 다니는 직장에서 나머지 반인 180만 원을 물어주니
나라를 위한 일이니 회사도 그 반을 맡아야 한다.
한스는 훈련 때문에 조금도 손해 보지 않는 만큼
국가
회사
몸도 찌뿌드드한데 운동 삼아 훈련이나 받고 올까?

더욱이 군인에 대한 나라의 대접이 좋아
귀중한 개인의 시간을 나라 위해 바치니 끝내주게 잘해줘야 한다.
먹고 자는 데 아무 불편 없는 만큼
오늘 저녁 메뉴는 비프 스테이크!
지겹다면 지겹다고 할 수 있는 긴 예비군 기간을 아무 문제 없이 넘기고 있는 거지.
훈련 통지서
그래?

그러나 한창 젊은 나이의 스위스 젊은이들은
훈련 통지서
예비군 훈련 받기를 싫어해서
에구~ 지겨워!
그 시간에 나이트 가서 춤이나 추지, 총 들고 뛰는 건 딱 질색이야.

스위스의 '비무장 중립'에 크게 찬성하고 있는데
비무장
찬성! 찬성!
'비무장'이란 얘기는 바로
무기도 필요 없다. 군대도 필요 없다!
예비군 훈련도 받을 필요가 없다는 것!
총 들고 싸우는 전쟁 대신 원자 폭탄 단추 하나로 모든 게 끝나는 세상인데, 힘들게 훈련은 뭐하러 받누?

이래서 스위스의 무장 중립을 계속 하느냐
철없는 것들, 그래도 군대는 있어야 해!
비무장 중립으로 정책을 바꾸느냐는
군대 키우는 건 딴 꿍꿍이속이지?
끝없는 논쟁의 주제가 되고 있다.
그렇다면 국민 다수의 뜻에 따르자!
좋다!

우리는 지금 스위스가 잘산다는 얘기를 하고 있지만
이는 결코 스위스 등 서유럽 국가 국민들이 다른 민족보다 더 잘났거나 부지런해서라기보다
나라 안팎으로 얽힌 여러 가지 사정이 선진국으로 가는 길을 도와주었기 때문인 것을 알 수 있어.
공산주의와 대결
학문의 바탕
근면 저축
서유럽의 부흥
관리의 정직성
과학 기술

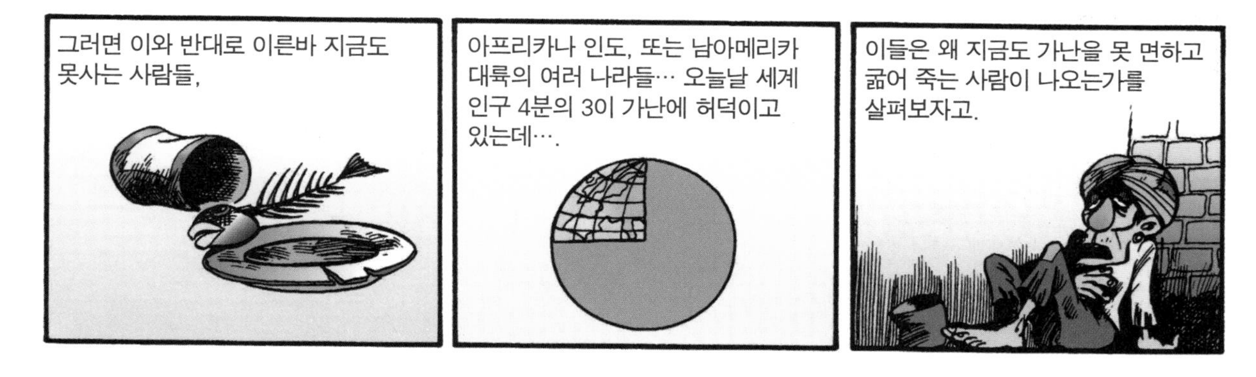
그러면 이와 반대로 이른바 지금도 못사는 사람들,
아프리카나 인도, 또는 남아메리카 대륙의 여러 나라들… 오늘날 세계 인구 4분의 3이 가난에 허덕이고 있는데….
이들은 왜 지금도 가난을 못 면하고 굶어 죽는 사람이 나오는가를 살펴보자고.

과연 이들은 서유럽 사람들보다 머리가 나쁘고 게을러서 못사는 것일까?
이제 우리는 '가'라는 가난한 나라의 예를 들어
가
왜 그들이 가난해졌으며 또 가난에서 헤어나지 못하고 괴로워하는가를 알아보기로 하자.
?

원래 '가'라는 나라는 그다지 가난하지 않은 평화로운 나라였어.
풍부한 지하 자원과 농사로 국민들은 하루하루 어렵지 않게 생활하고 있었지.
그러던 어느 날 '나'라는 나라 사람들이 이 땅에 발을 디뎠지.
가
나
'나' 나라는 앞선 공업 기술을 갖고 있었으나 상품을 만들 원료를 갖지 못한 터라
'가' 나라의 풍부한 자원을 탐내 싼 값으로 사가기 위해 나타난 거지.
면화
이때부터 평화로운 '가' 나라는 괴로움을 겪기 시작한다. 왜?
'나' 나라는 '가' 나라를 아직 잘 모르고 있으므로 우선
가
이 나라에 어떤 자원이 있는지 알아야 하고 또 얼마나 쓸모가 있는지도 따져봐야 하기 때문에
어떤 자원이
어디에
어느 만큼
쓸모는?
가장 먼저 탐험가와 학자들을 '가'나라에 보내지.
탐험가와 학자들은 위험을 무릅쓰고 '가' 나라를 탐험하여
어디에 뭐가 있고, 어떤 종족이 어디에 살며 강과 산이 어떻게 자리잡고 있는가 지도로 만들고
금
강
원주민
구리
'가' 나라 국민의 성격, 풍습, 문화 등을 자세히 알아내 '나' 나라에 알린다.
가나라에 대한 연구
OO대학
XX 박사
인종과 그 분포
역사
언어와 풍속
문화 종교

신문 기자 또는 잡지 기자 등을
'가' 나라에 보내

'가' 나라를 신문, 잡지 등을 통해
'나' 나라 국민들에게 널리 알려
'가' 나라에 대한 관심을 일깨우지.
가나라의…
흠! 한번 손댈 만하군.

'나' 나라가 '가' 나라에 쓸 만한 원료가 꽤 많고, 자기네 물건을 팔 수 있다고 판단하면
목화가 무진장 생산되고 철과 구리가 풍부하며….
이와 때를 같이 해 선교사, 목사 등 종교인이 '가' 나라에 파고들어가
'나' 나라의 믿음 즉 종교를 '가' 나라 사람들에게 퍼뜨린다.
모든 인류는 형제며, 이웃을 사랑하고….
이것은 '가' 나라와 '나' 나라가 같은 믿음을 통해 서로 가까워질 수 있는 밑바탕이 되며
가
나
나아가 '나' 나라 사람들이 '가' 나라에 가서 사는 데 큰 도움이 되기도 하지.
가
우리는 형제….
나
자, 이제 '나' 나라는 '가' 나라를 요리할 준비가 끝난 셈이야.
통째로 단번에 삼키느냐, 아니면 서서히 구슬러가면서 삼키느냐의 문제만 남았을 뿐….

'가'라는 나라가 미개하고 원시적이면

'나' 나라는 무작정 군대를 앞세우고 점령한 다음

식민지로 만들어버리지만
나
우리땅

'가'라는 나라가 오랜 역사와
문화를 가진 나라면
우선 '나' 나라는 외교관을 보내
'가' 나라에 통상을 요구하지.
우리 장사 거래
틉시다요.
두 나라 사이에 통상이 이루어지면
'나' 나라의 장사꾼들이 몰려들어

지금까지 '가' 나라 사람들이 듣도
보도 못한 진귀한 물건들을 갖다가
엄청나게 비싼 가격으로
팔아먹기 시작해.
'가' 나라 사람들은 비싼 가격에도 편리하기
그지없는 문명의 이기에 반해 마구 사들이게
되고

그 값을 지불하기 위해선 금이나
은이 자꾸 흘러 나가거나
금
또는 '가' 나라에서 나는 원료가 거저나
다름없는 헐값으로 마구 '나' 나라로
실려가게 돼.
원료
나
이런 손해 보는 장사가 계속되다
보면 '가' 나라는 도저히 견뎌내기
어려워지고

드디어 '나' 나라와의 관계를 끊길 바라게
되지.
당신네 나라 장사꾼들을
도로 데리고 가시오.
스스로 물러나지 않음
강제로 추방하겠소!
뭐야?
지금까지 우리가 쌓아온 노력이
얼만데 이대로 순순히
물러갈 것 같아?

'나' 나라는 드디어 군대를 '가' 나라에
끌어들이게 되고
우리나라 상인과
시민을 보호하기 위해
어쩔 수 없이….
비록 적은 수의 군대이긴 하지만
우수한 무기로 무장한 까닭에
원시적인 무장을 한 '가' 나라 군대는
있으나마나한 것이 되고 말지.
군대라는 무력을 등에 업고 '나' 나라는
차츰차츰 '가' 나라 안의 문제에 간섭을
시작하고
'다' 나라와는
장사하지 마시오!
드디어는….
'가' 나라는 도저히 자기의
힘만으로 스스로의 문제를
해결할 능력이 없으므로
우리 '나' 나라는 '가' 나라를 사랑하는
깊은 우정으로, 온갖 희생을 무릅쓰고
'가' 나라 정치를 떠맡고자 함이라….
이렇게 '가' 나라의 정권을 빼앗은
'나' 나라는 조금 지나….
가
나
우리 '나', '가' 두 나라는 오랜
우정으로 서로의 발전과
행복을 추구하기 위하여
두 나라 사이에 차별과 거리를 없애고 한
나라로 합치는 '합병'을 선언하노라!
이는 두 나라 국민의 간절한 소망에
따르고자 함이니….

이리하여 '가' 나라는 완전히 주권을 잃고
'나' 나라의 식민지가 되고 말지.
나
가
우리 한국도 똑같은 역사를
겪었고,
한·일 합방
1910년
우리나라뿐 아니라 뒤늦게 서양 문명에
눈뜬 세계 거의 모든 나라의 공통적인
운명이었어.

'가' 나라를 식민지로 만든 '나' 나라는
나
우리나라
출입금지

이제 거칠 것 없이 노골적으로
'가' 나라를 착취하기 시작하고

'나' 나라가 부강해질수록 '가' 나라는
가난의 구렁텅이로 떨어질 수밖에….
꺼억
끄르르륵

'나' 나라는 '가' 나라에서 원료를
헐값으로 가져가고

자기 나라에서 만든 물건을 비싸게
'가' 나라에 팔아 엄청난 이익을 보는
한편

물건을 좀더 값싸게 만들어내기
위해
가 나라의 근로자
나 나라의 근로자
한달 임금 50달러
한달 임금 300달러

임금이 몇 배나 싼 '가' 나라에 아예
공장을 세우게 되니
일꾼 품삯이 싸지요,
원료 운반이 손쉽지요,
곧장 시장에 내다 팔 수
있지요!
'가' 나라는 결국 '나' 나라에 원료 대주고
값싼 노동력 대주고, 비싼 물건 사서 이익
내주는 한마디로 '나'의 먹이가 된 셈이야.
원료·노동력
상품
가 나라
나 나라

'나' 나라는 '가' 나라에 공장을 세우긴
했으나 중요한 자리나 기술은 오직
'나' 나라 사람에게만 주고
'가' 나라에 학교를 세우기는 해도
어디까지나 '가' 나라에서 사는 '나'
나라 학생을 가르치기 위한 거였어.
△△ 대학교
가 나라사람은 받지 않음
그 증거로 프랑스 식민지였던
아프리카의 어느 나라에서는

1백여 년의 식민지 통치를 받는 동안 단 6명의 원주민이 대학을 졸업할 수 있었던 것만 봐도 알 수 있지.
이런 '가'와 같은 나라가 한둘이 아니라 아프리카, 남아메리카, 아시아의 거의 모든 나라들이 이런 불공평한 대접을 받았어.
서로 식민지 많이 갖겠다고 '나'와 같은 강대국들이 서로 으르렁대다가
두 번씩 세계대전을 일으켜 피 흘리고 싸우고 나서는
우리 이렇게 식민지 갖고 싸울 게 아니라….
독립시켜주고 다시 시작해 봅시다….
이리하여 세계 대부분의 식민지 나라들은 스스로의 힘이 아닌 남의 덕으로 독립을 얻게 되었지.
?
독립
'가' 나라도 드디어 '나' 나라의 식민지 통치를 벗어나 독립을 하게 된다.
가
나
그러나 오랜 세월 '나' 나라에게 철저히 착취당하여
독립된 '가' 나라는 기진맥진하여 숨 거두기 직전의 허약한 몸으로 새 출발을 할 수밖에 없었어.

비록 '나' 나라가 '가' 나라에 세워 놓은 공장이 있긴 해도
기술을 가르쳐주지 않았기 때문에 공장을 돌릴 수 없고
???
또 외국에 내다 팔 원료가 있긴 했지만
면화
생고무
커피
흑연

'나' 같은 원료를 사들이는 나라들이 서로 짜고 원료 값을 묶어버려서
면화 1톤에 10달러 이상은 주지 맙시다!
그럽시다!
어차피 헐값으로 원료를 빼앗기다시피 하는 것은 조금도 변하지 않았지.
1945년 → 1980년 동안 가격의 변화
보기
원료
상품
인도의 면화
1.5배
유럽의 수출품
30배
오랜 뼈저린 경험으로 '가' 나라는 차츰 깨닫기 시작했어.
우리도 기술을 배워야 한다!
선진국의 앞선 기술과 학문을 배워야만 그들과 경쟁할 수 있다! 이 길만이 가난을 떨치고 일어설 수 있는 길이다!
이래서 '가' 나라는 기술을 배우기 위해 많은 유학생을 외국 선진국에 보내기 시작했고
선진국들은 앞을 다투어 이들 유학생을 자기 나라로 끌어들이게 된다.
장학금도 주고 무료로 공부시켜줄게 우리나라로 오렴.
골이 비었다고 남의 나라 학생들에게 돈까지 주어가며 공짜로 가르치느냐고? 모르시는 말씀….
우리나라에서 기술을 배운 학생은 자기 나라에 돌아가면 중요한 자리를 차지하게 될 거고
우리나라 기술을 배웠기 때문에 기계 하나를 사더라도 아는 기계인 우리 것을 사게 될 거란 말씀이야. 세상에 공짜가 어디 있어?
오랜 식민지 통치를 통하여 철저히 착취당한 '가' 나라는
비록 독립은 했어도 어디부터 시작해야 될지 모르고
새로 공장을 짓거나 사업을 시작하려 해도 그동안 빼앗길 대로 빼앗겨 필요한 돈이 없는 형편이라….
어찌 하오리까?

이때 '나' 나라는 다시 '가' 나라에게
그동안 우리가 너무했수다! 미안하오….
우린 사실 형제나 다름없는 사이이고 또 우리가 그동안 한 짓에 대해 사죄도 할 겸
당신네 나라가 잘살 수 있는 터전을 마련하도록 뒷받침을 해드리리다!
이것은 우리나라가 당신네 나라에 진 도의적 빚을 갚는 셈이고….
우선 사죄하는 뜻으로 이만큼 돈을 드릴 테니 공장을 짓든지….
그러나 '나' 나라는 이미 뻔히 알고 있었지.
흐흐… 그 돈으로 공장을 지어? 어림도 없지!
당장 굶어 죽을 판에 공장이 눈에 보이나? 그 돈으로 우선 자기 배부터 채울 테지….
아니나 다를까 몇 푼 안 되는 사죄금은 몇몇 권력 잡은 사람의 호주머니 속으로 들어가고
우선 집도 장만해야지, 자동차 사야지… 옷도 새로 해 입고….
'가' 나라가 일어서지 못하고 허덕이기는 마찬가지였어.
아니, 공장 지으라고 준 돈은 어쩌고 그렇게 쩔쩔매쇼?
그… 그게….
허허… 그것 참 밑 빠진 독에 물 붓기로구먼!
하지만 의리가 있지, 당신 나라가 고생하는 걸 보고만 있을 수 없구려….

당신네 나라가 공장을 지을 수 있도록 계속 돈을 대드리지.
하지만 우리라고 돈을 샘에서 퍼내는 게 아니니 무작정 거저 드릴 수는 없고,
험!
대신 돈을 빌려드릴 테니, 나중에 잘살게 되면 갚으쇼!
빌려줘?
아무렴, 나라고 흙 파먹고 살 수는 없지 않소?
…….
그러니 당신은 돈을 빌려 가고 약간씩 이자만 물면 된다 이 말씀이야.
싫으면 관두고!
누가 싫다고 그랬나요?
히히… 급한 판에 물불 가리게 됐나?
그렇다면 싼 이자로 돈을 빌려드리지. 1년에 8% 어때?
비싼 이자다!
좋소, 돈을 꿔주시오.
이거 정말, 옛 의리를 생각해서 꿔드리는 거외다.
그 대신 잠깐!
?
싹
돈을 빌려주는 대신 그쪽에서도 답례가 있어야 할 것 아니오?
?
예를 들어 새로 짓는 공장 기계는 반드시 우리 걸 사야 하고, 당신네 원료를 우리나라에 다른 나라보다 싸게 파는 등… 다 아심시롱!

싫으면 그만두고… 강제로 어쩌자는 건 아니니까….
시… 싫다는 게 아니라….
싹
이리하여 '가' 나라는 여러 가지 까다롭고 불리한 조건으로 빚을 얻어 쓰게 되고,
차용증
가는 다음과 같은 조건으로 나에게 다음액수의 돈을 꾸었음
19XX년 X월 X일
가
결국 '나' 나라는 다시 '가' 나라의 목덜미를 쥐게 된다.
빚
빚을 얻어 공장을 세운 '가' 나라지만
공장
'나' 나라는 이미 앞선 기술에 연구를 계속하여 새로운 기술을 개발해내고
새로운 기술은 '가' 나라에 가르쳐주지 않으므로
비밀
결국 '가' 나라의 기술은 '나' 나라의 찌꺼기 기술에 지나지 않아서
새로운 기술 개발하느라 돈을 얼마나 들였는데….
'가', '나' 두 나라는 기술 면에서 결코 경쟁을 할 수 없으며
상대가 안 되지….
'가' 나라는 '나' 나라가 이익이 적어 손을 뗀 상품을 만들 수밖에 없었지.
• 비싼원료
• 많은 임금
• 사람손 많이 가는 작업
• 적은 이익
• 값싼 원료
• 적은 임금
• 고급기술
• 높은 이익
더구나 새로 공업 상품으로 세계에 물건을 팔려고 나선 나라가 '가'뿐이 아니라
가
제2차 세계대전 후 식민지 통치에서 벗어나 새로 독립한 수없이 많은 나라들이 한꺼번에 나서
K
자
가
A
라
서로 물건 팔려고 머리 터지는 싸움이 벌어지게 되었어.
자, 우리나라 물건 싸게 팝니다!
우리나라는 더 싸게 팔아요!

이런 나라들은 대개 간단한 기술과 많은 사람의 손이 가는 비슷비슷한 물건들로 서로 경쟁하게 되어
드디어는 가격 내려 팔기 경쟁에다
10 8 6
5 달러 4 3
12 달러 9 달러 7 달러
심지어는 손해 보면서도 팔아야 할 수밖에 없는 형편이 되었지.
이미 만든 물건 어쩝니까? 손해 보더라도 원료값이나 건져야지….

이렇게 '가' 나라가 밑지는 장사로 피를 흘리는 데 비해
손해
생산가격
수출가격
'나' 나라는 '가' 나라의 물건을 거저나 다름없는 헐값에 사 쓸 수 있었지.
게다가 '가' 나라는 이자를 제대로 갚을 수 없어 빚 독촉까지 당해야 하는 어려움이 겹치게 되었어.
이자!

그러면 이런 질문을 하는 사람이 있겠지.
밑지는 장사를 왜 합니까?
만드는 가격이 파는 가격보다 더 비싸다면 아예 안 만드는 게 이익 아닌가요?
더구나 밑지는 장사도 한이 있지, 계속 하다가는 불어나는 손해는 누가 물어준답니까?

지당하신 말씀! 많이 팔면 팔수록 손해라면…
아예 외국에 수출을 하지 않는 쪽이 더 유리하지.
수출
그러나 비록 손해 보는 장사지만 그나마 내다 팔지 않으면 외국서 꼭 사와야 할 물건을 살 돈 즉 '외화'를 어떻게 장만하지?
수입

그러니 울며 겨자 먹기 식으로 계속 수출을 하는 수밖에….

그래도 죽으나 사나 수출….

그렇다면 수출을 해서 생기는 손해는 누가 물어주나?

그 손해는 나라가 떠맡게 된다. 다시 말해서 국민이 그 손해를 물어야 한다는 얘기야.

이래 저래 죽어나는 건….

더구나 '가' 나라가 진 빚은 이자에 이자가 붙고 그 이자에 또 이자가 늘어
드디어는 '가' 나라가 도저히 갚을 엄두조차 못 낼 엄청난 빚이 되고 말았어.
빚
'나' 나라는 툭하면 빚을 가지고 '가' 나라의 일에 간섭하는가 하면
빚
심지어 '가' 나라 정치에까지 간섭하게 되어
'다' 나라와 장사하지 마쇼!
옛날 식민지 시대나 사실상 조금도 다름없게 되었어.
빚
또 '나' 나라가 '가' 나라의 물건을 계속해서 사들이는 이유가….
'가' 나라에서 싸게 수입되는 옷 때문에 우리 나라 옷 공장이 망할 지경이 되었죠.
그러나 옷을 팔아먹고 사는 '가' 나라의 옷을 우리가 사지 않으면 '가' 나라 공장이 망하고….
'가' 나라는 우리에게 진 빚과 이자를 못 갚게 되죠.
그렇게 되면 '가' 나라에 돈을 빌려준 우리나라 은행이 망하게 되고 그러면 우리나라 경제에 큰 혼란이 올 거란 말입니다.
그러니 '가' 나라 옷이 좋거나 싸서 사는 게 아니라….
우선 '가' 나라를 살려줘야 빚과 이자를 갚을 테니까 하는 수 없이 사는 거죠.
따라서 '가' 나라는 아무리 발버둥쳐도 눈덩이처럼 불어가는 빚과 이자 때문에 가난에서 벗어나지 못하고 허덕이고 있는 거야!

'가' 나라는 하나라도 더 팔기 위해
상품의 값을 싸게 매겨야 하고
가 나라 10 달러 8 구두 1켤레
바 나라 10 달러 구두 1켤레
싼값에도 손해 보지 않으려면
될 수 있는 대로 상품 만드는 데
적은 돈을 들여야 하는데
외국 물건과 경쟁하려면 적어도
같거나 더 좋은 재료를 써야 하므로
재료비를 줄일 수는 없고

결국은 근로자의 임금을 적게 주는
데서 생산 원가를 줄일 수 있으므로
임금 올려달라는 근로자의 요구를
들어줄 수 없고
무슨 소리야?
다 같이 굶어
죽고 싶어?

도저히 먹고살 수 없는 임금 때문에
근로자들이 들고일어나면
와
와
봉급을 올려달라!
지금 봉급으로는
도저히 살수없다!

무자비하게 군대의 힘으로라도
억누르게 되어
'가' 와 같은 나라는 거의 국민의
요구를 무시하는 독재자가
지배하고 있는 형편이야.
'나' 나라는…
그거야 '가' 나라 집안
문제이니 내가 알 바
아니고….
이자만 꼬박꼬박 바친다면 독재자가
아니라 독재자 할아버지라도 내겐
귀여운 사람이지요.
그러나 이런 고통을 도저히 못 견딘
'가' 나라는 드디어 폭발할 지경에
이르고 말았지.
모든 것은 '나'
나라 잘못이다!
우리는 또다시 '나'
나라에게 철저히
착취당하고 있다!

'가' 나라 국민 여러분! 우리가 살 수 있는 길은 오직 한 가지!
'나' 나라와의 관계를 끊고 새 출발해야 합니다! '나' 나라에게서 진 빚은 무효로 해야 합니다!
얼씨구, 잘한다! 정말 웃겼어….
'나' 나라는 당장 '가' 나라에게
저렇게 떠들고 다니는 자를 그냥 둘 거요?
…….
당장 잡아 가두든 어떻게 해야지…
그게… 말입니다요….
그자를 따르는 자가 워낙 많아서요 만약 그자에게 손대면 폭동이 일어날 겁니다.
그렇다면 그자를 나에게 맡기시오!
그…그러나 절대로 그자를 죽…
빗!
뚝
'나' 나라는 어떤 방법을 쓰든지 간에 반대하는 지도자를 처치했고
'가' 나라는 지도자를 잃은 근로자들을 총칼로 억눌러 입을 막아버렸지.
그러니 수출은 늘어도 근로자의 임금은 오르지 않고
수출
임금
수출에서 얻은 이익은 엄청나게 불어난 이자 물기에도 모자랄 지경이어서

'가' 나라 국민은 '나' 나라 국민보다 더 열심히 일해도 가난에서 헤어나지 못하고 있는 거야.
자, 지금까지 가난한 나라는 왜 가난한가를 살펴보았는데
가난한 나라는 머리가 나쁘고 게을러서 가난한 게 아니라
'가' 라는 나라는 잘살도록 놔주지 않고 계속 착취하는 '나'라는 나라가 있기 때문에 가난한 것이며
'나' 나라의 부강은 바로 '가'와 같은 가난한 나라의 희생을 제물로 이루어진다는 것을 잊어서는 안 될 거야.
한 보기로 한 사람의 미국 시민이 잘 먹고 잘사는 대신 여섯 명의 남아메리카 주민이 굶어야 했었다는 것이 UN 통계에도 나타나 있단다.
이처럼 기술을 갖고 세계에 수출을 하면서도
수출
빚 때문에 가난에서 벗어나지 못하고 허덕이는 나라가 수두룩한데
빚
세계에 수출할 상품을 만들 기술조차 갖지 못한 나라들은?
그들이 갖고 있는 것은 약간의 원료뿐으로
이 원료는 몇 푼 안 되는 헐값으로 팔려 나가고
생산 시설이 없으므로 모든 생활 필수품은 외국에서 비싸게 사들여야 하므로

수출에 비해 수입이 엄청나게
큰 까닭에
수출
수입

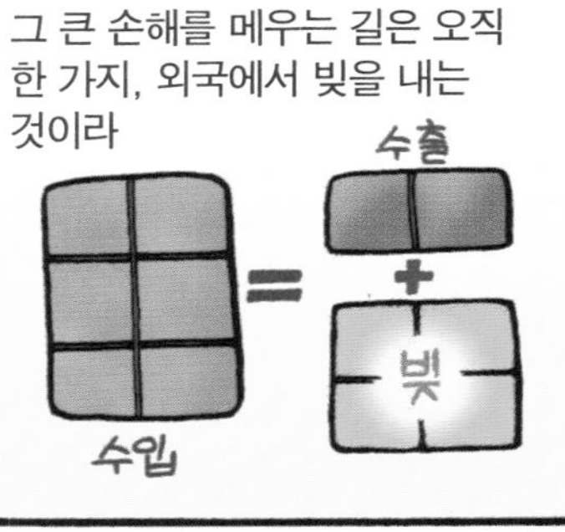
그 큰 손해를 메우는 길은 오직
한 가지, 외국에서 빚을 내는
것이라
수출
빚
수입

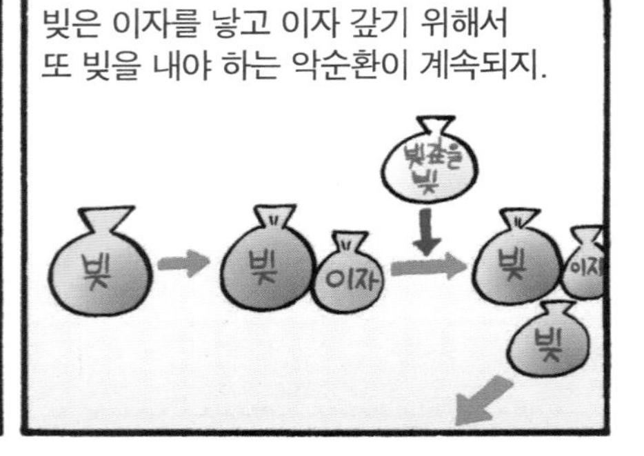
빚은 이자를 낳고 이자 갚기 위해서
또 빚을 내야 하는 악순환이 계속되지.
빚갚을 빚
빚
빚
이자
빚
빚

더구나 이런 나라일수록 돈, 권력을
가진 사람들이 자기 욕심만 채우려
들기 때문에

이자 갚으려고 꾸어온 빚을
가로채 빚은 더욱더 불어나고

그 엄청난 빚을 짊어지는 건 결국
가엾은 국민이라

최후의 감자 한 알, 쌀 한 톨까지
빚쟁이의 손에 넘어가게 되어
부정한 방법으로 엄청나게 큰돈을
번 수백억대 부자가 몇 명 생기는
대신
굶어 죽은 사람이 거리에 즐비한 비참한
광경을 흔히 볼 수 있는 것이 오늘날
몇몇 아프리카 나라의 현실이야.
많은 사람들이 스위스나 도이칠란트 등
서유럽이 부강한 것을 보고 경탄하며
역시 다르다!
역시 잘난 백성이다!
굶주리는 나라들을 우습게 보았지.
역시 못살 족속이다.
역시 못난 민족이다!

그러나 우리가 지금까지 살펴보았듯이 선진국의 부강은 가난한 후진국의 희생을 바탕으로 하였고
선진국의
부강
후진국
못사는 나라의 가난의 책임이 스스로에게보다 계속 뜯어가는 선진국에 있다는 것을 볼 때
우리는 민족의 잘나고 못남에서 가난과 부강의 차이가 나는 것이 아니라는 것을 알아야 할 거야.
게르만 민족과 유대 민족이 세계에서 가장 머리 좋다더라!
헛소리의 본보기
가난한 나라가 잘살려면 선진국이 더 이상 이들을 괴롭히지 말아야 하는데….
우리도 먹고살아야 하지 않소? 우리는 사람이지 천사가 아니란 말이오!
고깃국에 흰쌀밥 먹던 사람 보고 된장국에 꽁보리밥 먹으라면 그게 됩니까요?
우리는 계속 고깃국에 쌀밥 먹고 싶으니 어쩔 수 없이 비록 불공평 하긴 하지만 장사를 계속해야죠.
따라서 잘사는 나라는 계속 그들의 복지를 유지하기 위해 가난한 나라들을 괴롭힐 수밖에 없고
가난한 나라는 더 이상 잘사는 나라의 착취를 당하지 않는 것이 가난에서 벗어날 수 있는 단 하나의 길인 만큼
국민과 지도자가 일치단결해서 허리를 졸라매어 한 푼이라도 덜 외국 빚을 지도록 노력하고
굶는 한이 있어도….
빚
차츰 다른 나라의 손아귀에서 벗어나 자립하는 길밖에 잘사는 나라를 만들 방법이 없지 않겠어?
만약 이것이 이루어지지 않으면 영영 가난에서 벗어날 희망이 보이지 않는다고 할 수밖에….

스위스는 비록 식민지를 갖지 않아서 '가' 나라를 착취한 '나' 나라 같지는 않지만
스위스 에서….
수군
비무장.
수군
수군
스위스 ….
수군
오히려 더 교묘하고 발전된 방법으로 큰 부를 쌓고 있는데
'나' 나라 등 세계 각 나라에서 스위스 은행에 몰래 돈을 갖다 맡긴 사람이 적지 않기 때문이야.
'나' 나라는 물론 '가' 나라에서도 거금 맡긴 사람이 많다더라.
그러니 백성이 헐벗고 굶주렸지!

스위스 은행이란 것이 아주 묘해서
BANK
BANQUE
BANCO
돈을 맡겨 예금을 하면
좀 맡아주쇼.
다른 나라에선 이자를 붙여 주는데
우리 은행에 맡겨주셔서 감사합니다. 그 돈으로 우린 사업을 해서 돈을 버니 그 대가로 이자를 드리죠.
원금
이자

스위스에선 예금 액수가 크면 이자는 고사하고
100만 달러 예금하고 싶은데….
오히려 '보관료'를 받고 있어.
보관료 내슈!
스위스은행
그런데도 온 세계에서 돈 뭉치를 싸들고 와 돈 맡아달라는 사람이 줄을 잇는데
그래도 좋소!

'보관료'까지 내면서 돈을 맡기려는 이유는
예금
보관료
그 돈이 떳떳지 못한 구린내 나는 돈이기 때문인 경우가 많아.
악당들이 범죄로 만든 돈,

독재자가 나랏돈 빼돌린 것,
나랏돈에서 천만 달러를 내 몫으로 스위스에.
옛!
돈 많은 사람들이 남들 몰래 감춰 두려는 돈 등
수출해서 받은 돈 5백만 달러를….
온 세계의 검은 돈이 스위스 은행으로 몰려들고 있어.
스위스 은행

스위스 은행에 구린내 나는 돈이 몰려드는 이유는
스위스
스위스가 영구 중립국이라서 전쟁의 염려가 없고
영구중립
그러나 무장!
따라서 돈 가치가 크게 떨어질 염려가 없다는 것도 있지만
유로 €
스위스 프랑 sFr
달러 $

가장 중요한 이유는 돈 맡긴 사람을 절대 밝히지 않아서
경찰이오. '가'라는 강도가 얼마나 맡겼소?
어느 나라 어떤 사람이 얼마를 맡겼는지 절대 비밀로 한다는 거야.
절대 비밀이오!
따라서 떳떳하지 못한 돈을 가진 사람들에겐 신분이 드러나지 않는다는 매력이 있지.
흐흐흐… 스위스라면 마음 놓고….

스위스에서는 이것을 국가 기밀처럼 다루어
누가 얼마를 맡겼는가는 절대로 누구에게도 알려선 안 된다!
누가 얼마를 맡겼다는 사실을 밝히는 은행이 있으면
한국의 재벌 김똘똘 씨가 우리 은행에 백만 달러….
'국가 기밀 누설죄'로 당장 감옥에 집어넣고 있으니
징역!

이것은 다시 말해
국민의 피와 기름을 짜낸 돈이든
총칼로 사람 죽이고 강도질한 돈이든 무슨 돈이건 좋다!
돈은 돈이니 우리가 안전하게 맡아주지. 그러니 이자는커녕 마땅히 보관료를 내야지, 안 그래?
다른 나라들은 돈이 모자라
끄르르륵
이웃 나라에서 빚 얻어 쓰기도 힘든 처지인데
돈 좀 꿔주쇼~!
스위스는 세계 각지에서 보관료까지 물면서 맡아달라는 돈이 마구 쌓이고
돈 많아 미치겠다!
Kr
F
$
DM
더구나 이 돈들은 쌓아놓으려고 맡긴 돈이라 찾아갈 염려 없이 오랫동안 노는 돈이어서
예금
스위스 은행은 이 돈으로
자기 돈처럼 마음 놓고 다른 나라에 꾸어 주고 이자 받아 먹는 돈놀이에다
빚
이자
돈 꾸어주면서 큰소리치고 이자 받아 배불리고
빚 빨리 갚아!
공장 지어 물건 만들어 팔아 돈 벌고
스위스제
그야말로 꿩 먹고 알 먹기지. 스위스의 모든 국민이 전혀 일을 안 해도 은행 돈놀이 이자만으로 배불리 먹고살 수 있다는 말도 나올 정도야.

그러나 일부 국민 가운데 이런 짓은 옳지 못하다 하여
스위스 은행에 돈 맡긴 사람 이름을 밝힙시다!
그러나 국민 투표 결과 국민 절대 다수가 반대.
그러면 우리 스위스 은행에 돈 맡길 사람이 없어진다!
아마 스위스엔 천사 같은 마음씨를 가진 사람만 사는 건 아닌 모양이지?
우리는 지금까지 스위스의 역사를 훑어보면서
스위스 역사
그 조그맣고 산투성이인 나라가
수백 년이나 당당히 중립을 지켜왔으며
중립
CH
강대한 이웃 나라 틈바귀에서도
도이칠란트
스위스
프랑스
오스트리아
이탈리아
자주 독립을 지켜왔고
오늘날 세계 제일의 부유한 나라로 자유와 평화와 안정과 풍요를 누리고 있는 뿌리를 캐보았어.
우리는 스위스라는 나라에서
자신의 이익을 위해서라면 한 치도 물러서지 않고 싸우며
으르렁
컹컹
작은 나라다운 뛰어난 외교, 국방 정책으로 강대국과 맞서온 역사를 보았다.

스위스의 독립과 민주주의.
독립·민주주의
CH
그것은 다른 나라와는 정말 다른
독특한 거야.
쟤들, 정말
못 말려….
그리고 이젠 빛이 많이 바랬지만
수백 년간 유지해온 '중립' 또한
스위스인들에겐 신앙 같은 것이어서
중립

스위스란 나라는 한마디로 고슴도치에
비교할 수 있다고.
공격도 않지만
날 건드리는
것도 용서 못해!
다른 나라에서 무슨 일이 벌어지건
혁명!
전쟁!
변화!
중립
세계가 어떻게 변화하든
유럽통합!
세계화!
개혁!
중립

스위스는 스위스 방식을 철저하게
고집하고 있는 거지.
우리도 참여해야
하는 거 아냐?
시끄러!
스위스
스위스는 국민 개개인의 자유와 권리를
충분히 인정하여
자유
·
권리
국민이 국가의 일을 결정하는 데
직접 참여하는 '직접 민주주의'를
채택하고 있다.
직접 민주주의

그러나 '직접 민주주의'란 국민의
뜻이 최대로 반영되는 이상적인
민주주의처럼 보이지만
DIY=Do It Yourself
스스로 하시오!
국민이 정치에 스스로 책임져야
하는 '피곤한 민주주의'라서
스위스의 정치는 다른 나라와는 전혀
다른 모습을 하게 되지. 그 이유를
설명해볼게.
이게
아닌데…

스위스는 중립이라지만 사회주의와는 아주 거리가 먼 자본주의 국가이고
이쪽으로 가지만
그쪽과 적대 관계가 되겠다는 건 아냐!
자본주의
사회주의
국민의 권리를 최대한 인정해주는 대신
국민의 권리
모든 책임은 정부가 아닌 국민 스스로 져야 하는 부담을 갖는다.
그래서 나라에 중요한 일이 생길 때마다
이러이러한 일이 생겼으니
국민이 결정해 주길 바라오!
중요 안건
정부
국민들이 직접 찬반 투표에 참여하여 결정을 짓는 대신
국민투표 용지
안건:
찬성
반대
X표 하시오
정부는 아무런 책임을 지지 않고, 또 누구도 정부에게 책임을 묻지 않지.
국민이 결정한 건데 뭐….
정부
국민투표 결과
국민
스위스 동맹이 탄생한 것은 7백여 년 전인 1273년이지만
영원한 형제가 되리라!
쨍
오늘날의 스위스 연방이란 국가가 탄생한 것은 1848년 새 민주 헌법의 제정과 함께였다.
앞에서 설명했지?
1848
그전까지는 사실상 여러 개의 조그만 독립 국가들이 동맹 관계를 맺고 있던 것에 지나지 않았으나
우리는 동맹관계지만
살림은 모두 따로따로
정부도 주마다
1848년 새 헌법이 제정되고 중앙 정부도 비로소 태어나
중앙정부
독
립
적
여
러
주
(칸톤들)
스위스란 나라의 이름 아래 오늘날 시행되는 모든 제도가 시행되기 시작했으므로
CH Confederatio Helvetica
스위스란 정식 국호도 이때부터
사실상 스위스란 나라의 역사는 160년 정도에 지나지 않는다고.
동맹관계의 작은 나라들의 모임
1848년
중앙정부를 가진, 자치권을 지닌 주(칸톤)들의 동맹국가

건국(1848년) 이래 스위스의 기본 원칙은 분명했지.
정부는 독자적인 26개의 주들을 연결하는 역할을 맡고 있을 뿐
중앙정부
결코 돈주머니 노릇을 하거나 각 주, 국민에 대한 시어머니 노릇을 하려는 게 아니며 아무도 이를 원치 않는다.
각 주와 국민은 자신의 일은 스스로 알아서 하라! 권리도 책임도 자신의 몫이다!

앞에서 얘기한 대로 중앙 정부는 외교, 국방 문제를 맡고 국내 문제는 각 주가 스스로 알아서 해결하는데
중앙정부
외교
국방
사회 간접 자본투자 (고속도로 · 철도 비행장 건설 등)
전국규모 재정조정 등
베른
외교, 국방 문제조차 중요한 사안이 떠오르면
이건 정부가 혼자 결정하기엔 너무 중요하다!
그럼 당연히 국민 투표에 부쳐야지!
국민의 투표를 거쳐 결정지으므로 정부는 국민의 뜻에 따라 집행만 하는 역할을 맡는 셈이야.
국민이 찬성했으므로…!
가결!
스위스 국회
땅땅땅

또 개인이 새로운 아이디어나 국가에 제안할 일이 있으면
밤 10시 이후엔 아파트에서 목욕을 금지시키자. 시끄러워….
법이 정한 수 이상의 서명만 얻어 국가에 제출하면
자, 법대로 서명 받아왔수!
어떤 문제든지 국민 투표를 시행해 가부를 결정지을 수 있어.
국민 투표 시행!
국민투표 시행 공고
안건: 밤10시 이후에 공동주택에서의 목욕을 금지시켜야 하나?
그렇다면 엉뚱한 제안도 많이 나오겠네요?
전국민에게 피자 한 판씩 선물하자든가
일주일 동안 모든 국민이 일을 쉬고 실컷 마시고 놀자든가….
하하하… 그런 현실성 없고 유치한 제안으로 국민 투표가 시행된 적은 한 번도 없었어요!

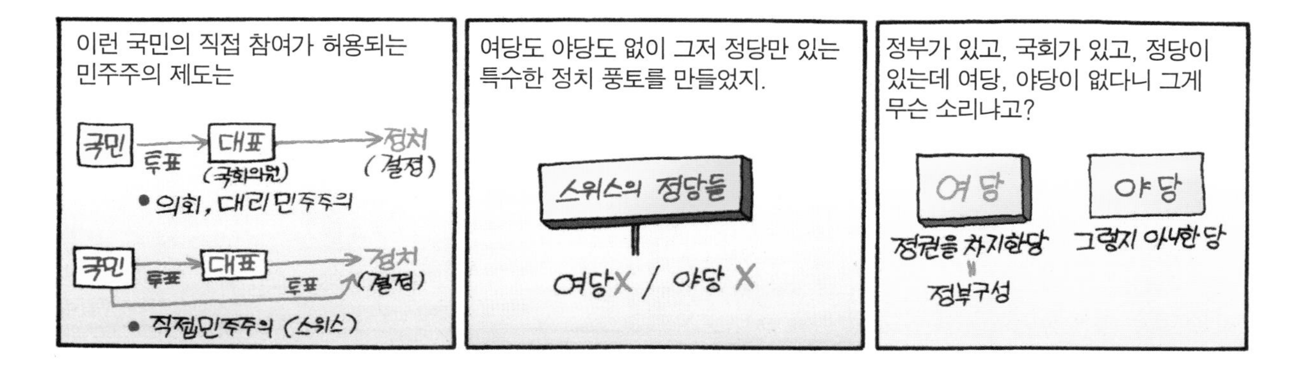
이런 국민의 직접 참여가 허용되는 민주주의 제도는
국민
투표
대표
(국회의원)
정치
(결정)
● 의회, 대리민주주의
국민
투표
대표
투표
정치
(결정)
● 직접민주주의 (스위스)
여당도 야당도 없이 그저 정당만 있는 특수한 정치 풍토를 만들었지.
스위스의 정당들
여당X / 야당 X
정부가 있고, 국회가 있고, 정당이 있는데 여당, 야당이 없다니 그게 무슨 소리냐고?
여당
정권을 차지한당
정부구성
야당
그렇지 아니한 당

생각해봐. 정부가 새로운 정책을 세우거나 국가의 중요한 일을 처리할 때
국방비를 10% 늘리자!
안건
정부
국민이 직접 국민 투표로 찬성, 반대를 결정짓고, 정부는 이에 따르는데
반대!
국민
알았져
정부
야당, 여당이 따로 어디 있겠어?
국민이 반대하므로 국방비는 안 올린다!
정부
A당
B당
C당

국민이 바로 야당이지!
국민이 반대하는 일을 정부는 할 수 없다!
정부
만약 스위스가 정부의 뜻에 따라
이런 일을 하자!
정부의 계획
또는 의회의 결정에 따라 결정했더라면
여론 조사 결과 국민은 반대했지만….
가결!
땅땅땅
의회

스위스는 아주 옛날에 UN에 가입하고 EU의 회원국도 되었을 거야.
가입!
UN
국제연합
EU
유럽공동체
그러나 아무리 정부가 간곡하게 설득해도
오늘과 같은 세계화 시대에 우리처럼 고립되어 살면 큰일 난다. 제발….
찬반 투표 때마다 스위스 국민들이 번번이 반대했기 때문에 2002년에야 UN에 가입할 수 있었지.
NO!
국민투표결과

스위스에는 부가 가치세란 것이 없다.
부가가치세
V.A.T
Value Added Tax
상품가격
부가가치세 10% (보기)
최종가격
₩100,000.-
₩10,000.-
₩ 110,000.-
이것도 정부가 번번이 국민에게 간절히 호소해도
국가 재정을 위해 제발….
정부
국민들이 단호하게 거부하기 때문에 유럽에서 유일하게 부가 가치세가 없는 나라로 남아 있는 거라고.
NO!
그런 세금 내기 싫다!
그렇다면 200명이나 되는 국회 의원으로 구성된 국회는 무엇하는 곳이며
중요한 일은 국민이 다 결정해주는데
저런 건 뭐하러 있담?
국회
20여 개나 되는 정당은 도대체 하는 일이 무엇일까요?
정당
…….
국회는 국가의 중요한 일을 결정짓되
스위스가 EU에 가입하느냐 마느냐 하는 문제는…
의장
국민 투표의 결과에 따라 이를 국회에서 통과시키는 형식적인 일만 할 뿐이며
국민이 반대하므로 가입하지 않기로 했습니다.
인정
거수기
국민 투표에 붙여지지 않은 '사소한' 일들이나 논의하는 기능을 하고
이 안건은 국민투표에 부쳐지지 않은 것이니
우리 국회가 결정해야 하오!
정당은 국회 의원 수가 많든 적든 여당도 야당도 아니며
B당
A당
국회
C당
D당
기타
의회내 다수당 일뿐
야당도 X
여당도 X
국가의 중요한 일에 대해 국민에게 해결 방안을 제안하는 기능을 하니
EU에 가입해야 한다!
가입해서는 안 된다!
A당
B당
A당의 제안이 받아들여지기도 하고 B나 C당의 제안이 받아들여지기도 하기 때문에
EU 가입 문제는 B당 안이 채택되었습니다.
A당
다수당 이면 뭘해…
그 어느 당도 정부나 국가를 이끄는 여당이 될 수가 없는 거야.
국방비 삭감 문제는 A당 안이 채택되었습니다!

스위스는 국민의 권리를 최대한 보장하고 그 뜻을 반영하기 위해 의회를 가지고 있는데
국민의 뜻
의회
인구 비례에 따라 선출된 2백 명의 의원으로 구성된 국회와
국회
인구
인구
인구비례
200명
각 주의 권리를 대변하기 위해 인구나 땅 크기에 관계없이 각 주(칸톤)에서 1명씩 대표를 내보내
적은 칸톤
인구많은 칸톤
대표
전국주의회
(칸톤의회)
전국 주 의회를 구성하는데 이는 다른 나라의 상원과 비슷하다고 할 수 있다.
스위스의회
200명
26명
국회
칸톤의회
하원에 해당
상원에 해당
국회와 주 의회에서는 장관은 물론 대통령, 국무 총리를 선출하지만
대통령
국무총리·장관
국가 원수의 일이란 공항에서 외국 귀빈을 맞는 말 그대로 국가 원수라는 의전 역할 뿐으로
어서 오십시오!
그새 또 바뀌었네
대통령은 1년 임기로 각 주가 돌아가면서 맡기 때문에
이번엔 운터발덴 주 차례지, 아마…?
당신 기억력도 좋수!
대통령 이름 외우는 스위스 국민은 아마 찾아보기 힘들걸?
지금 대통령? 누구더라….
알게 뭐람! 누군가가 하겠죠.
자, 국가 원수를 비롯하여 정부는 사실상 별다른 권력이 없는 허약하기 짝이 없는 존재여서
정부건 국회건 정당이건
국민을 통치할 수 있는 힘이 약하지 않나?
스위스 정부
국가 기능이 마비되기 십상이고 정치가 혼란에 빠질 것 같은데도
약할 것 같지?
세계에서 가장 기능적이고 단단한 정부가 곧 스위스 정부이니
쌩
경쟁력!
가장 힘이 없기에 가장 강력할 수 있다는 민주주의 제도의 또 다른 면을 엿볼 수 있지 않은가?
작은것이 아름답다!

그것은 바로 '자율' 이라는 무서운 힘이야.
자율
국가가 전혀 간섭하지 않고 은행, 기업 등 경제는 스스로 알아서 굴러가는데
자율….
경제
세계에서 가장 단단한 경제와 안정된 통화인 스위스 프랑을 보면
스위스경제
SFr
정치와 무관한 자유 즉 스스로 알아서 구르는 힘이 얼마나 중요한가를 깨달을 수 있지.
쑝
자율
국가의 중요한 일은 국민이 직접 결정해주고
국민
오른쪽 길로 가라!
정부
의회
알았씀다!
나머지 일은 정부와 의회가 '알아서' 한다.
오른쪽으로 가되 자가용으로 갈까 지하철로 갈까?
지하철로 가자!

국민이 뽑은 의회, 의회가 짜준 정부… 누가 여기에 시비를 걸겠어?
국민
대표
의회
정부
그래서 스위스엔 대통령이나 장관 등에 대한 불신임 안이 제출될 일도 없고
장관은 물러나라!
저런 거 스위스엔 없지.
공무원에 대한 파면, 해고도 좀처럼 없으니
뇌물 먹거나 부정, 부패일 경우만 빼고….

가장 작고 힘없는 정부이지만
국민의 합의와 선택으로 이루어진 정부요 또 스스로 알아서 자신의 일을 처리하는 국민이 있기에
크르르르…
CH
스위스 정부는 위기를 모르는 가장 탄탄한 정부일 수 있는 것이다.
위기
CH

국민이 직접 참여하는 스위스식 민주주의는 한편으론 '피곤한 민주주의' 다.
왜냐하면 스위스 국민들은 끊임없이 투표에 참여해야 하므로
투표소
여가 시간의 많은 부분을 투표와 직접적 정치 참여에 써야 하거든.
이번 일요일엔 여행이나 갈까?
안 돼요. 투표하러 가야죠.

우선 4년마다 한 번씩 국회 의원 선거를 해야 하고
국회 의원 선거
그 사이에 주 정부의 요직 맡을 사람을 투표로 뽑아야 하지.
칸톤(주) 지사 선거
게마인데(지역), 즉 지방 자치 의원 선거에,
오늘도 걷는다마는~
게마인데
Gemeinde
우리 지역 대표 선거

지역의 주요 사안이 있을 때마다 직접 투표장에 가서 찬반 의사를 밝혀야 한다.
주민투표장
공공장소에서 담배를 피워도 되나?
또 주민투표냐…
1년에 서너 번씩 온 지역 주민이 참여하는 게마인데 회의에 참석해야지
게마인데
지역주민 전체회의 소집공고
장소: 시청앞 광장
때: 8.20. 14:00시
빠짐없이 참석하시오!
1년에 4번씩 정기적으로 국가의 중요한 일을 결정하는 국민 투표에 참여해야 하는 등
정기 국민투표
수시로 국가주요사안에 대한 국민투표는 또 별도로 하죠.

직접 정치에 참여하는 권리라는 것이 이처럼 엄청난 의무로 사람을 피곤하게 만들어
핵
핵
핵
핵
국민 투표 참여율이 평균 40% 정도인 것만 봐도
오늘 국민 투표일 아냐?
그랬었나?
스위스 국민은 계속되는 투표로 많이 지쳐 있는 것은 아닐까?
투표 참여가 낮은데…
그래도 국민이 결정하는 거 아냐? 결과만 나오면 되지.

또 국민 투표란 게 그냥 가서 투표만 하면 되는 게 아냐.
선거 서류요!
그 많은 투표 때마다 투표일 한 달 전이면 잡지 한 권 분량의 두꺼운 서류가 배달되는데
• 국민투표 안건 내용설명서
• 참고자료집
• 유권자 설문 조사서
유권자가 깨알 같은 글씨로 적힌 수많은 질문에 일일이 답을 적는 데 하루는 꼬박 걸린다는군.
수능 시험 공부하는 것 같군.
낑낑

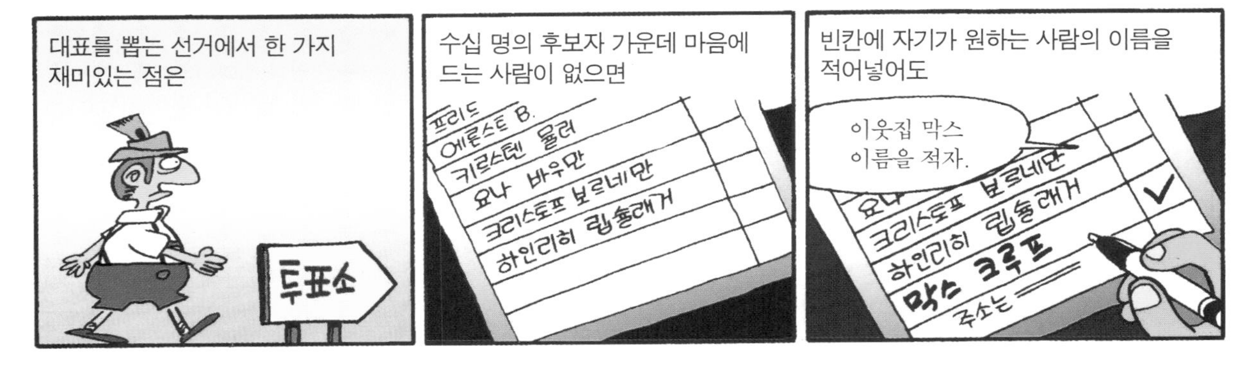
대표를 뽑는 선거에서 한 가지 재미있는 점은
투표소
수십 명의 후보자 가운데 마음에 드는 사람이 없으면
프리드
에른스트 B.
키르스텐 뮐러
요나 바우만
크리스토프 뵈르네만
하인리히 립슐래거
빈칸에 자기가 원하는 사람의 이름을 적어넣어도
이웃집 막스 이름을 적자.
막스 크루프
주소는

무효 처리되지 않고 개표할 때 당당히 새 후보자로 집계된다.
막스 1표요!
개표소
선거관리위
18세 이상의 스위스 국적을 가진 사람이면 누구나 '즉석 투표장 후보'가 될 수 있지만
이는 현실적으로 당선이 불가능한 것이 아니겠어?
한스 1,256표
막스 1표!
역시…

그러나 스위스 민주주의 원칙은 철저히 국민의 의사를 존중해주는 것으로
내 생각은 다르다!
말씀해보셔!
남들이 볼 때 분명히 '웃기는 짓' 인 후보가 아닌 사람을 적어내는 것조차 용납하는 제도는
막스 크루프
1백 퍼센트 국민의 뜻을 반영한다는 스위스인들의 원칙을 잘 알 수 있는 작은 예이지.
단 한 사람의 국민의 뜻이라도 무시되어서는 안 된다!

스위스 정부가 작고 힘이 없어 보여도
작은정부…
귀여워…
정부
막상 행정에 들어가 보면 전혀 딴판이야.
크르르르…
정부
스위스의 관료주의는 세계 어느 나라와도 비교할 수 없는 막강한 것이라고.
행정이란?
법을 집행하는 것이다.
법
국가에는 국민이 뽑은 의회가 정한 법이 있다. 국민에게는 최대한의 알아서 할 수 있는 자율권이 있다.
국민
자율의 한계
법 = 국민이 뽑은 의회가 정한것 = 국민이 정한것
그러나 법의 테두리를 넘는 행위는 결단코 용납하지 않는다. 이 또한 국민의 합의다!
법과 규칙을 어기는 자, 스위스에선 어림도 없다. 코피 터질 줄 알아라! 국민이 부여해준 법의 권한을 최대한으로 발휘할 거야!
다른 나라의 관료주의란 스위스에 비하면 어린애 장난에 지나지 않을 정도로
쟤들 관료주의는 정말 못 당해!
스위스처럼 철저하게, 세밀하게 법과 규칙을 정해 놓고
벗어나지 마시오!
법·규칙
완벽할 정도로 이를 집행하는 나라는 아마 세계 어디에도 없을 거야.
벗어나지 마시오!
벌금!
스위스에서는 손가락만 하나 까딱하려 해도
…좀 해볼까?
허가서가 필요하고
신청서
해당 관청
또 엄청난 돈을 내야 한다!
허가서
허가서
허가서

스위스에서 이사를 하려면
Umzüge
ZÜRICH-BASEL
2424
8일 이내에 살던 곳 관청에 이사 간다는 전출 신고를
우리 이사 갑니다.
수수료!
전출 신고서
새로 이사 간 곳에 이사 왔다는 전입 신고를 해야 한다.
우리 이곳에 이사 왔습니다!
수수료!
전입신고서
이를 어기면 '수백만 원'(!)의 벌금을 각오해야 한다.
쾅
벌금
모든 스위스 세대는 집집마다 '주민 명부'를 비치해야 하는데
주민명부
공책 크기만한 이 서류에는 그 가정에 살고 있는 모든 사람의 신상을 기록해야 하며
우리나라의 주민등록 등본과 비슷하죠.
주민 명부
이름·성별·생년월일·출생지·직업 등등
언제든 경찰이나 공무원이 요구할 때 제시할 수 있어야 한다.
주민 명부 좀 봅시다!
주민 명부를 비치하지 않거나 잘못 기재된 사람이 있을 경우
이 사람은 살고 있지 않은데 왜 아직도 기재되어 있죠?
우리가 '상상할 수 없는' 벌금을 내야 한다.
띠유~~O
벌금 통지서
주로 외국인들이 당함.
호수에서 (스위스에는 바다가 없으니까) '1.5㎡ 이상 되는 움직이는' 물체는
30 cm
50 cm
'선박'으로 인정되어 관청에 등록할 의무가 있다.
장난감 배인데….
사실상 모든 배를 말하는 거요.
선박등록
배에 엔진이라도 달린, 이른바 모터 보트의 경우엔 관청의 규제는 훨씬 엄격해진다.
바아앙

모터 보트 운전자는 면허 시험을
치고 면허증을 소지해야 함은 물론
엔진장착
선박 운전
면허증
면허
시험
해당 관청에서 나온 관리에게 철저한
안전 검사, 공해도 검사를 거쳐
안전도…
공해도…
소음·매연·기름유출
…
이 검사에서 합격했음을 증명하는
스티커를 부착해야 한다.
합격증
03
2003년도
자전거를 타는 사람은 반드시
보험에 가입해야 하고
자전거도
보험을
들어요?
자전거가 사람을 치었는데 치료비
물어줄 돈이 없으면 어떡하죠? 큰
교통 사고 일으키면 그 배상은?
보험 가입 증명서를 매년 발급받아
자전거 뒷바퀴 덮개에 부착해야 한다.
보험가입
증명
스티커
자전거를 타고 자전거 도로가 아닌
인도로 다니면 벌금 40프랑(32,000원)
인도는 사람이
다니는 길이오!
그건
나도 안다
뭐…
벌금!
사람이 자전거 길을 걸으면 벌금
10프랑(8,000원)이다.
자전거 길은
자전거가 다니는
길이오.
벌금!
아항… 왜 자전거 길이 페인트로
선명히 그어져 있는지 이제야 알겠군!
모든 자동차는 고속도로 사용료를
냈다는 스티커를 앞유리에 붙여야 하고
03
고속도로사용료
납부 스티커
• 스위스는 고속도로에 요금을
받는 톨게이트가 없고
1년치 사용료를 한꺼번에
납부한다.
차고가 없어서 밤에 길가에
주차하는 자동차들은
Anlieger Frei
주민에 한해
주차 허용
반드시 그 길 주변에 산다는 거주자
주차 증명 스티커를 붙여야 한다.
거주자 주차증명
지역 관청에서
발행한 인근거주
확인 스티커

과속이라도 했을 경우엔
히히 경찰이 지키지도 않으니….
부앙
자동 카메라로 찍은 과속 현장 사진과 함께 '기절할' 액수의
145 KM/H
속도측정
운전자
차량번호
BERN KS-1234
1998. 6. 1. 19:55시
벌금이 우편으로 날아온다.

만약 정해진 납부 기간이 지나도 벌금을 내지 않으면
!
7
앗차… 깜빡 잊고 벌금 납부 기간 넘겼네….

벌금은 2배가 되어 다시 우편으로 독촉장과 함께 날아온다.
독촉장
벌금
따불!

매연 검사를 해마다 받아야 함은 물론이고
ABGASE PRÜFUNG
매연검사
매년검사…!

검사 기준에 합격했다는 스티커를 앞유리창에 부착해야 한다.
휴… 합격이다.
스위스 자동차의 앞유리창이 온통 스티커 범벅인 이유를 알겠지?
이 모든 검사, 변경, 연장, 취소 등 관청과의 일은
검사, 변경, 연장, 허가, 취소, 신규 ….
하나의 예외도 없이 엄청난 액수의 수수료를 납부해야 하는데
검사료+검사수수료
변경수수료
연장수수료
허가수수료
취소수수료
신규수속 수수료
사소한 민원 서류 한 장 수수료가 최저 1만 원을 넘는다.
수수료가 백만 원이 넘는 것도 수두룩해요.
아예 껍데기를 벗기지….
이것이 바로 스위스식 원칙이다.
이 나라 국민으로 높은 소득을 올리니, 국가에 대한 비용도 많이 내야 할 거 아냐?
부자나라에서 값싸게 살줄 알았어?
관청

스위스에 처음 간 외국인들은 본의 아니게 실수를 저지르는 경우가 많다.
CH
스위스의 다세대 주택(아파트, 맨션, 빌라 등)에서는
밤 10시부터 오전 7시까지 목욕이 금지되어 있다.
철벅
철벅
멋모르고 심야에 목욕을 즐기다간 날아온 벌금 통지서에 까무러치게 되는데
뭐? 밤 11시에 목욕한 벌금?
세상에… 밤에 목욕했다고 벌금을 매기는 나라가 어디 있어요?
당신이 목욕을 즐기는 건 자유지만
당신의 이웃들도 밤에 조용히 지낼 권리가 있다는 것을 왜 인정하지 않으시죠?
아니 그렇다고 밤엔 몸도 닦지 말고 살란 말이오? 땀냄새 범벅이 되어도?
사람이 몸을 깨끗이 하고 살아야죠. 몸 닦는 거야 누가 뭐래요?
밤에 목욕했다고 벌금을 때리면서 몸 닦아도 된다는 건 무슨 소리요?
꼭 목욕을 해야 몸을 닦는 겁니까? 밤 10시부터 아침 7시까지 목욕은 금지되어 있지만
샤워는 허용되어 있습니다.
쿵
크… 목욕은 안 돼도 샤워는 된다! 스위스는 못 말려…….
쿵

법과 규칙, 질서가 무엇보다 중요한
나라이고 보니
법·질서
이를 어기는 자들을 잡아내는 경찰의
힘이 막강하여
스위스를 '경찰 국가'라고 부르는 데
스위스 사람 스스로가 조금도
주저하지 않는다.
경찰 국가!
CH
회색 유니폼을 입은 스위스 경찰은
마치 마음 좋은 우편
집배원 아저씨처럼
보이지만
POLIZEI
경찰
전국 어디에서나 이들의 눈은 쉴 새
없이 국민을 감시하고 있고
벌금!
불쑥!
언제 어디서나 법과 질서를 어기는
현장엔 바람처럼 나타나지.
꺅
삐뽀 삐뽀
POLIZEI
사람들은 도이칠란트를 이렇게 말해.
8천만 국민이
경찰인 나라!
도이칠란트
그러나 인구 7백만인 스위스는
도이칠란트와는 비교도 안 되는
철저한 경찰 국가라고 해도 지나친
말이 아닌 것이
우리는
아무것도 아냐!
스위스
스위스에 아무리 법도 많고 이를 집행하는
경찰도 많다고는 해도
법
법
스위스 국민 모두가 경찰이나 다름없는
철저한 이웃 감시인들이기 때문이지.
스위스에서 붙잡히는 대부분의
범죄자들은 경찰의 손이 아닌
주민들의 신고에 의해서라니 이 말이
이해가 되지?
세계 최고라는
이스라엘 비밀 첩보부
모사드 공작원조차
이웃집 주부 신고로
붙잡혔다!

완벽하게 판이 짜여 옴치고 뛸 수 없는 사회 조직이라
나오지 말것
CH
범죄 따윈 상상도 못할 것 같은데도
감옥을 짓기가 무섭게 범죄자가 가득 찰 정도로 스위스엔 범죄가 많아.
와글
와글
Gefängnis:감옥
신축 개옥
만원사례

물론 이런 말을 하는 사람도 있지.
스위스 감옥을 한번 봐라.
그게 어디 일류 호텔이지 감옥이냐? 쾌적한 고급 시설에 훌륭한 식사.
전화
칼라 TV
침대
수세식 변기
길거리서 구걸하느니 감옥 가서 일류 국립 호텔 생활하겠다! 그러니 범죄가 줄지 않는 거라구.
국립호텔
교도소

하지만 아무리 시설 좋은 감옥이라도 자유를 구속당하는 걸 좋아할 사람이 어디 있겠어?
자유….!
스위스도 역시 사람이 사는 곳이니 천사만 있는 건 아니거든.
스위스의 최근 통계를 보면 스위스 인구의 20%가 외국인인데
외국인
20%

스위스 전체 범죄의 45%가 외국인에 의해 저질러진다니
외국인 범죄
전체범죄의 45%
SEX
스위스인들이 외국인을 곱게 볼 리가 없지.
외국인들이 스위스를 오염시킨다.
그래서 점차 외국인 배척의 분위기가 강해지고 있는 거라구.
왁
왁
그들을 되돌려 보내야 한다!
Ausländer raus!
외국인 나가라

스위스의 범죄는 다른 나라와는 조금 다른 게 특징인데
돈 많은 나라답게 금융·경제 사건이 많이 벌어진다는 거야.
은행의 나라라는 이름처럼 은행 강도 사건이 잦고
한번 터졌다 하면 그 액수가 몇십, 몇백억 원에 이르는 대형 사고가 스위스 은행 강도 사고지.
히히히… 은행을 통째로…
현금수송차
또 공무원이 뇌물을 받은 사건도 심심치 않게 발생하고
스위스에도 그런 공무원이 있습니까?
세상에 돈 싫어하는 사람도 있나요?
각종 투자 사기 사건.
모은 돈 갖고 튀자!
은행이 고객의 예금을 잘못 투자하여 홀랑 날리는 사건 등이 자주 벌어지지.
아시아 주식 사뒀다가 폭락하는 통에 망했다….
스위스 은행의 가장 큰 문제로 다른 나라의 빈축을 사는 게
세계 각국의 검은 돈을 맡아 깨끗한 돈으로 둔갑시키는 돈세탁이야.
부정한 돈
스위스 은행
정당한 돈
체면도 있고 여론도 있어 스위스 정부는 이 문제를 국민 투표에 붙이곤 하는데
세상 여론이 이러니
스위스 은행에 돈 맡기는 외국인의 이름을 공개할까요?
한결같이 부결되는 걸 보면 스위스 국민은 어지간히 이기적인 것 같아.
NO!

수백 년 누려온 고슴도치 같은
중립과 자유와 민주주의
중립
외부와 인연을 끊고 자신들의 벽
안에서 살아오면서
와글
와글
EU
NATO
UN
유럽
같이 안 놀아!
스위스인들은 너무나 깊고 편안한
잠에 빠져 있었던 것 같아.
고롱
고롱

그래서 세상이 변하고 시대가 무섭게
변한다는 사실을 보고 들으면서도
세계화!
국경없는 시대!
변화·변혁!
유럽통일!
결코 자신의 틀을 벗어나려고 하지
않는다.
지금이 좋다!
바깥 세상이 어떻게 변한들 그게 나랑
무슨 상관이란 말이냐? 우리는 이렇게
우리끼리 잘 먹고 잘살아왔는걸….

일부 깨인 지식인들은 국민에게
간절히 호소하지.
스위스 국민은
이제 단꿈에서
깨어나야 한다!

이제 세상은 결코 혼자서 살 수 없다.
정보화 사회에서 외부와 단절된
국가와 민족은 몰락하고 만다!

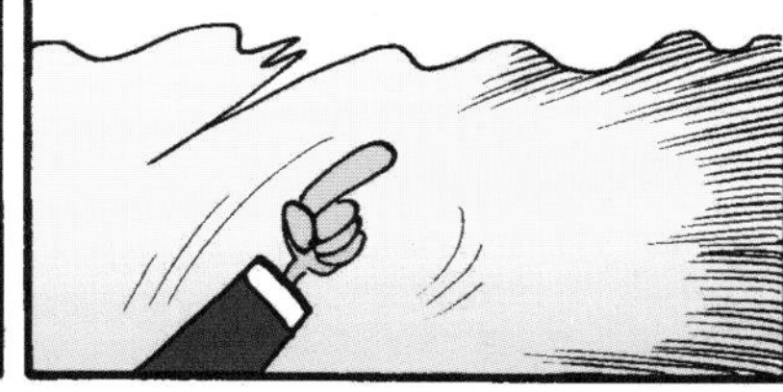
온 세계의 국경이 무너지고 세계화다,
글로벌화다 야단들인데 우리만 이처럼
둥지 속에 숨어 살아서야 되겠는가?!

우리도 늦기 전에 세계 흐름에 따라
개방, 개혁하지 않으면 머지 않아
이류 국가로 전락한다.
그러나 이들에 대한 대부분의 스위스
국민들의 반응은….
그러지 않아도 불안한데
불난 집에 부채질하냐?
비애국자야, 당신은!!

동구권이 무너진 뒤 중립국이라는
존재 자체가 무의미해지면서
자본주의 진영
공산주의 진영
중립
스위스인들에게서 서서히 불안감과
자신에 대한 회의가 일기 시작했다.
중립국… 과연 유지할 필요 있나?
과거엔 공산주의와 자본주의 대결의
시대여서 중립국이 필요했지만 이젠
중립의 의미도 사라졌고
$
중립
이제 전세계가 자본주의 체제로
통일되어가는데 대체 무엇에 대한
중립이란 말인가? 그것은 '고립'을
뜻하는 것일지도 몰라.
또 유럽이 EU로 하나의 세계로
통합되어 가면서
와글 와글
유럽연합
스위스의 고립은 더욱 심해져갔지.
나만 따로…
EU 회원국들이 서로 세금을 면제해
주어 물가는 훨씬 싸지는데
보기
쇠고기
수입 세금없음
스페인
덴마크
스위스는 모든 수입품에 세금을
매기기 때문에 물가가 터무니없이
비싸서
쇠고기 1kg
+ 수입 관세
EU국가
스위스
1만원
1만5천원
고립의 대가를 경제적으로 톡톡히
치르고 있어.
저런 물가에도 살아남을 수 있다니….
CH
더욱이 제2차 세계대전 당시
중립국이었던 스위스가
중립
뒷구멍으로 몰래 히틀러와 비밀
무역을 하고
나찌 도이칠란드
스위스프랑
금괴
스위스
유대인에게 빼앗은 금을 물건 값으로
받았다는 사실이 알려지면서
전쟁물자
스위스돈만 받겠다!
이란등 중립국
석유, 고무, 철광등 전쟁물자 재료

깨끗하던 스위스의 국가 이미지마저 추락해 국민들을 더욱 우울하게 하고 있다.
야, 저 나라 다시 봐야겠다!
저래도 되는 거야!
남이 보기엔 세계에서 가장 잘사는 나라인데도
90년대 초까지
국민소득 세계 1위
스웨덴에 이어 세계에서 두 번째로 자살하는 사람이 많다는 사실은
황금 새장 속에 갇힌 앵무새의 비극을 보는 것 같다고나 할까….
갑갑하고 심심해서 못살겠다….
깊은 잠에서 아직 깨어나지 못하고 있는 스위스.
Z Z Z Z
중립
이 엄청난 변혁의 시대에
콰르릉
변혁 · 변화
그들이 정신을 차리고 깨어났을 땐 어쩌면 때는 너무 늦었을지도 모르지.
악!
어느새
그러나 가장 민주적이라는 나라의 직접 민주주의는
변화해야 스위스가 산다!
오히려 이 변혁의 발길을 잡는 족쇄가 되어 있으니
변화가 싫다!
직접민주주의
세상사는 정말 알다가도 모를 일….
골치 아픈 건 국민에게 물어봐….
스위스에서 정치하기 편하겠다!
아름다운 알프스의 나라 스위스…
욜라리~~ 요~~
알프스 산맥보다 더 지켜볼 게 많은 나라가 바로 스위스가 아닌가!

스위스 편